# 習近平帝国のおわりのはじまり

孫文の亡霊と
中華民族という
ウソに騙されるな！

石平

ビジネス社

# はじめに

## 激動の転換期がはじまった！

この度、私の最新刊の『習近平帝国のおわりのはじまり』がビジネス社から刊行された。本書は主に、昨年10月の党大会から今年3月の全人代までの中国情勢をさまざまな角度から分析し、考察した一冊である。それを作成している最中に気がついたことだが、この約半年間における中国情勢の激変は、まさに本書の書名通りの「習近平帝国のおわりのはじまり」を予兆するものとなった。

昨年10月の党大会で、共産党総書記の習近平氏は長年の慣例を破って総書記職の続投を果たして終身独裁への道を開き、党の最高指導部からあらゆる反対勢力を一掃した上で、それを自らの子分や取り巻きで固めることに成功した。考えてみればこの党大会の開催と閉幕は、まさに「習近平帝国」の出現を告げる歴史的イベントであって、「習近平帝国のはじまり」を飾った。

しかし党大会から1ヵ月が経った11月下旬、全国範囲で「白紙革命」と呼ばれる民衆の抗議運動が起きた。最初は「反ゼロコロナ政策」から始まった抗議運動はあっという間に「反共産党」「反習近平」の革命運動へと変貌した。「共産党退陣せよ」のスローガンが公然と叫ばれて、共産党政権成立以来初めての政治主張であった。

今年の2月にはまた、年寄りたちによる医療金制度改悪への抗議運動が起きて全国で広がった。運動の主力はお年寄りだから、それは「白髪革命」と名付けられている。

このようにして「習近平帝国」のスタートからわずか4ヵ月間、「白紙革命」と「白髪革命」という、2つの全国規模の「革命運動」が相次いで勃発した。その一方、今年の第1四半期において、全国で16歳から24歳までの若年層の失業率はすでに20％近くに達していると、政府の公式発表でさえ認めている。このような状況下では、国内の不安はますます高まり、さらなる動乱はいつ起きてもおかしくはない。「習近平帝国のはじまり」とともに、中国という国は「乱世」へ突入していく様相である。

そして中国を取り巻く現在の国際情勢はますます厳しくなってきている。今年4月に日本で開かれたG7外相会合の共同声明は中国を名指して批判し、力で台湾海峡の現状を変えるようなことは絶対許さないとの強い姿勢を示した。同じ4月には韓国の大統領が初めて台湾問題に言及して、習近平の企む台湾侵攻をやんわりと牽制した。ワシントンで開かれた米韓首脳会談では米軍の核武装潜水艦の韓国派遣が決められ、米国の「核の剣」は習近平の目の前に突きつけられることとなった。その一方、同じ4月においては、フィリピン軍とアメリカ軍による初の実弾演習が南シナ海で展開され、この海域をわがものにしようとする中国への強い警告であった。

この一連の動きをみると、覇権主義国家中国が今、アメリカ構築の軍事包囲網に陥っていることが明々白々である。習近平帝国は今、四面楚歌・内憂外患の最中にあるのである。

もちろん悪の帝国が直ちに潰れることはない。内憂外患の中で独裁者の習近平はむしろ台湾へ軍事侵攻に踏み切るなど、対外的大冒険に打って出る可能性は大。そして台湾有事となれば、日本周辺及東アジア全体の平和は一瞬にして崩壊するのであろう。

もちろん中国軍が台湾侵攻に失敗していたら（米軍が出動すれば中国軍に勝ち目はないだろうが）、日露戦争に負けた帝政ロシアが崩壊したのと同様、今の習近平政権の崩壊はもはや避けられない。そしてその意味するところはすなわち、「習近平政権のおわり」である。

そうは言っても、習近平政権は本当に台湾侵攻の冒険に打って出るのだろうか、もしやるならいつなのか、そして中国国内情勢は今後どうなるのか。それらの問題は中国自身にとってだけでなく、日本にとっても世界にとっても、たいへん重要な大問題となるのであろう。

今、皆様が手にしている本書はまさに、昨年の党大会以来中国で起きた政治・経済・社会の歴史的激変への考察をふまえて、その変化の底流にあるものを掘り下げた渾身の一冊だ。内容的には上述の大問題への明快な回答を試みたものであると同時に、今後の中国に対する著者の展望でもある。手前味噌になるのだが、皆様の中国理解に大きく貢献できる一冊であろうと確信している次第である。

最後には、本書の企画・編集を主導して下さったビジネス社の唐津隆社長に心からの感謝を申し上げたい。そして本書を手にとって下さった読者の皆様にはただひたすら、頭を下げて心よりの厚い御礼を申し上げたいばかりである。

令和5年4月吉日

石　平

## 第1章 一強体制が固まった共産党大会

## 第2章 「白紙革命」の強烈なインパクト



## 第3章 危うい習政権の新指導部

# 第4章 暗さしかない中国経済の前途



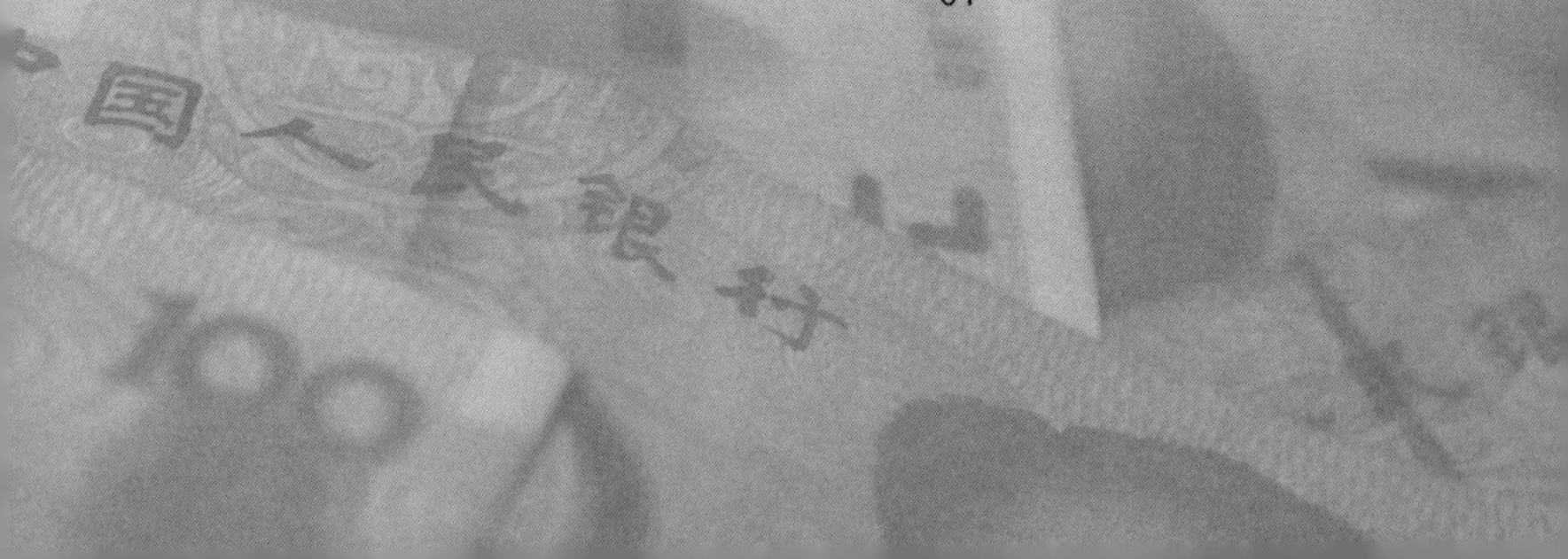

# 第5章 中国国民を襲う社会問題

# 第6章

# 蹉跌に陥る皇帝外交



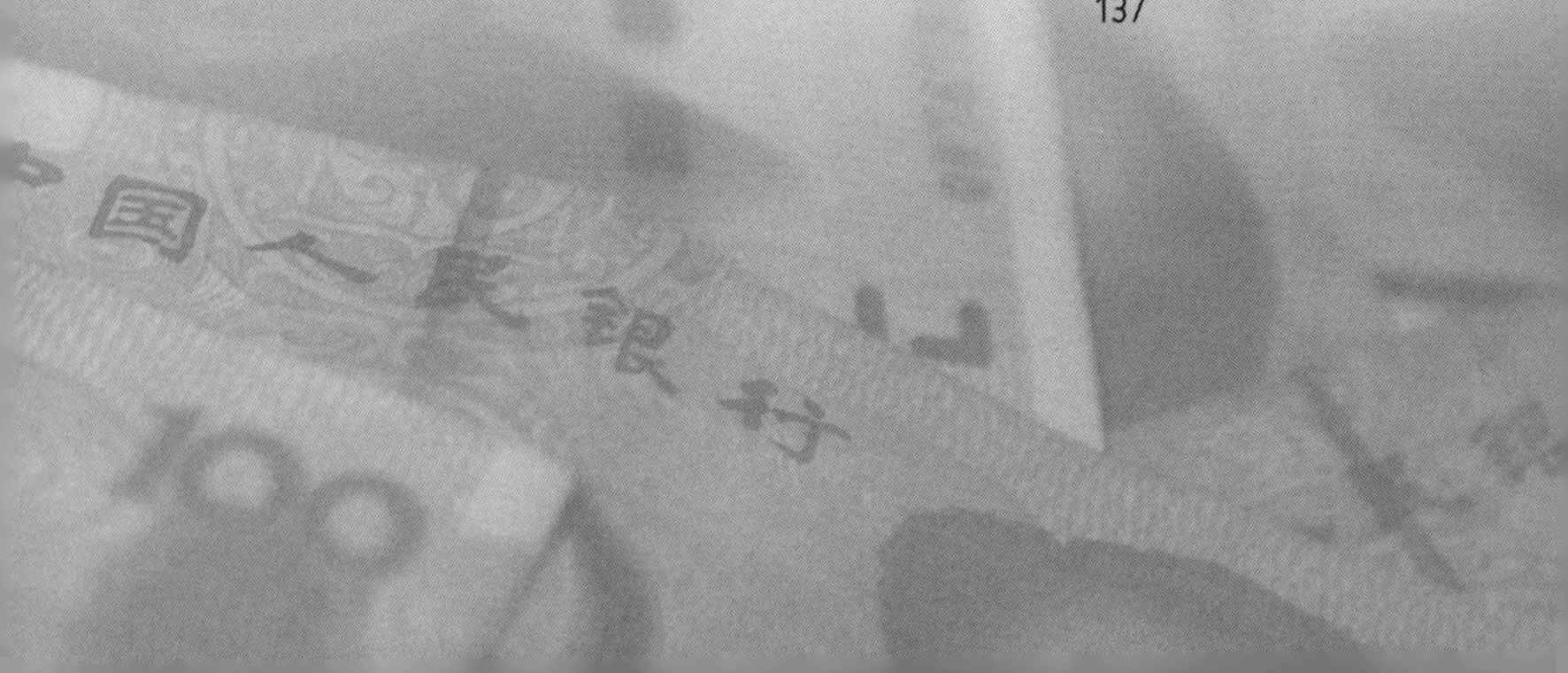

# 第7章 台湾有事はいつ起きてもおかしくない

# 第1章

# 一強体制が固まった共産党大会

## 首都北京で上がった打倒習近平の狼煙

２０２２年10月13日、北京市の大学が多い海淀区《かいでん》の大通りにある高架橋に、男が習政権の諸政策を批判し、習近平の罷免を求める大きな横断幕を２枚広げて抗議活動を行った。横断幕の１枚にはこう書かれていた。

「ＰＣＲ検査はいらない、ご飯は必要だ。ロックダウンはいらない、自由は必要だ。嘘はいらない、尊厳は必要だ。文革はいらない、革命は必要だ。領袖《りょうしゅう》はいらない、投票用紙は必要だ。奴隷にはなりたくない、公民になるのだ」

中国国内で明らかに民衆の不満を集めている習政権のバカ政策と政治姿勢をひとつずつ挙げて批判している。

「ＰＣＲ検査はいらない、ご飯は必要だ。ロックダウンはいらない、自由は必要だ」はゼロコロナ政策に対する批判である。中国では人々は毎日ＰＣＲ検査を受けなければならなかった。受けないと１日どこにも行けない。１日２回ＰＣＲ検査を課すという新しいルールをつくった鄭州市という地方都市もあった。だから国民の多くはＰＣＲ検査にうんざりだったのだ。「ＰＣＲ検査はいらない」は国民の声を代弁していた。

「ウソはいらない、尊厳は必要だ」は、習政権が今までの共産党政権以上にウソばかりついているために出てきた。

さらに、**「文革はいらない、革命は必要だ」**は特に重要だ。毛沢東流の文化大革命の復活はいらない、むしろ改革が必要だということである。

**「領袖はいらない、投票用紙は必要だ」**は、領袖になりたくて仕方がない習近平に対する抗議で、併せて投票によって指導者を決めることも訴えている。

最後に**「奴隷にはなりたくない、公民になるのだ」**と記して、彼ごときの奴隷にはなりたくない、普通の国民になると宣言している。

この横断幕によって習政権の一連の政策と彼の政治路線・政治姿勢に痛烈な批判を浴びせ、多くの人々の思いを代弁する主張を訴えたのである。

もう1枚の横断幕には**「国賊独裁習近平を罷免せよ！」**と書かれていた。名指しで彼を「国賊」と批判し罷免を求めたのだ。

男は2枚の横断幕を掲げただけでなく、通行人たちの注目を喚起するために高架橋から煙を上げ、メガホンで横断幕の文字を読み上げた。

男が抗議行動を10分ほど続けていたとき、警察が駆けつけて男を拘束し、横断幕も撤去した。だが、多くの通行人たちがスマホなどで撮った写真や映像はアッという間にネットを通じて全国的に拡散された。だから、各国の主要メディアが揃って取り上げるほどの世界的大ニュースとなったのである。

ではこの男は何者か。本名は彭立発《ほうりっぱつ》。黒龍江省出身で推定40代の電磁学の研究者だ。彼は2~3年前からネット上で「彭載舟《ほうさいしゅう》」というアカウント名を使って発信を開始した。載舟という言葉は、中国の古典の『荀子』にある「水能載舟、亦能覆舟」に因《ちな》んだ。これは「民衆は君主を支えることもできれば、君主をひっくり返すこともできる。だから君主は民衆の声を無視してはならない」という意味である。

彭立発はまさに**「今の政治にはもううんざり!」**という民衆の声を代弁し、逮捕・収監される覚悟で決死の抗議活動を敢行したのだ。

しかも決起のタイミングも重要で、抗議活動を行ったのは10月13日だった。習近平の続投が明確になった七中全会閉幕の翌日であり、中国共産党大会開催の直前である。彭立発はこの続投を阻止できるのは今しかないと思ったのだろう。

また抗議活動の場所として選んだのは、大学や研究機関が集中する海淀区だった。そこには中国人民大学、北京大学、清華大学などがあって大学生や知識人が集中している。その続投を阻止すべく、政治意識の高い大学生・知識人たちに決起を呼びかけるという意図があったと考えられる。

しかも彭立発は決起の直前に自らが書いた「全国同胞に送る書」と題する書簡を多くのネット有名人宛に送っていた。その全文がネット上で流布されたため、プリントして配る者もあった。内容は、今までの10年間の政治をあらゆる側面から徹底的に批判したうえで習政権継続の危険性を訴えるものである。

抗議活動から一夜明け、北京市内では厳重な警備体制が敷かれ、市内の高架橋や歩道橋には警備要員が配備された。この抗議活動は確かに習政権に大きな衝撃を与えたのだ。

男1人の抗議活動は、党大会の結果や続投に何らかの直接的な影響を与えるというものではない。だが、このとき習近平は多くの反対を押し切って続投を強行しようとしていた。だから、横断幕の政治訴求が暴政に苦しむ多くの民衆の声を代弁するものとして広く拡散されたのだ。この「反習近平」の国民運動勃発の火種として、ずっと燻《くすぶ》り続けていく可能性は十分にある。

## 新最高指導部の顔ぶれから見る習政権の危うい今後

2022年10月16日から22日まで第20回中国共産党大会が北京で開かれた。5年に1度の党大会は党の指導体制や基本方針についての最高意思決定機関だ。

党員約9500万人のうち約2300人が代表として出席し、約200人の中央委員と約150人の中央委員候補が選ばれる。さらに新しい中央委員による中央委員会も開かれ、政治局員24人と、そのなかから最高指導部である常務委員会の常務委員7人が選ばれる。常務委員のトップが総書記なので、中国では党および国家の最高指導者が総書記ということになる。

しかし党大会や中央委員会で選ばれるというのはあくまでも建前で、その前にすでに具体的な人事は内定している。最高指導部の人事は全部権力闘争の結果であって選挙は単なる演出だ。

党大会の結果、習近平は念願の総書記続投を果たし、同時に対立派閥の共青団（共産主義青年団）の最高幹部を最高指導部から一掃することにも成功した。自らの個人独裁体制をより一層強化させたのである。

10月23日午前、中国共産党第20期中央委員会の全体会議が開かれ、新しい最高指導部である政治局常務委員会メンバー7人の構成が決まった。新しい常務委員は習近平のほか李強《りきょう》、趙楽際《ちょうらくさい》、王滬寧《おうこねい》、蔡奇《さいき》、丁薛祥《ていせつしょう》、李希《りき》である。前回から李克強《りこっきょう》、栗戦書《りつせんしょ》、汪洋《おうよう》、韓正《かんせい》が抜けて、趙楽際、王滬寧が留任し、李強、蔡奇、丁薛祥、李希が新しく入った。

改めて、新しい常務委員の顔ぶれを序列順に見ていこう。

①**習近平**（69）、政治局常務委員留任のうえ、党総書記を続投。今年3月の全人代（全国人民代表者会議）で国家主席再任。

②**李強**（63）、上海市党書記・政治局員から政治局常務委員に昇進、今年3月の全人代で首相。

③**趙楽際**（66）、政治局常務委員留任のうえ、今年3月に全人代委員長に就任。

④**王滬寧**（67）、政治局常務委員に留任。今年3月に政協会議（政治協商会議）主席就任。

⑤**蔡奇**（67）、政治局常務委員新任、イデオロギー・宣伝担当。

⑥**丁薛祥**（60）、政治局常務委員新任、筆頭副首相。

⑦**李希**（66）、政治局常務委員新任、中央規律検査委員会書記。

この3期目における習政権の最高指導部の人事にはおおむね3つの注目すべき特徴があると思う。

まず習近平派による**党内の最高指導部の完全独占**である。

常務委員会委員の6人のうち趙楽際と王滬寧の2人は習近平の子分ではなくても、かねてから協力者だ。王滬寧は一種のブレーン、趙楽際は過去5年間、腐敗撲滅運動によって党内や軍の大物を摘発して権力基盤強化に貢献してきた。

他の4人は全員、習近平の子分ということが中国国内で広く知られている。4人とも福建省や浙江省あるいは上海でトップを務めた時代の忠実な部下で、習が党総書記になって

新しいチャイナセブン（新華社）

から中央に抜擢された。政治的には子分となっていて忠誠を捧げる相手は習近平しかいない。

中国共産党という党員9500万人の大政党の最高指導部は習近平およびその6人の側近・子分によって完全に独占されたことになる。これは中国共産党が成立してから初めての事態だ。毛沢東時代でさえこれほど偏った権力の独占状態にはなっていない。

毛沢東が独裁者として中国に君臨したとき、首相の周恩来は毛沢東の忠実な部下であると同時に心強い協力者ではあるが、その子分になったことは1度もない。ところが今、中国の首相の李強は習近平の子分以外の何者でもない。毛沢東時代をはるかに超えた個人独裁体制が今の最高指導部において完成されたのである。

今後、重大政治案件や人事に関して政治局常務委員会による多数決は事実上不可能となる。すべては習総書記だけが独占的に意思決定を行うことになるだろう。事実上の「皇帝」であり、政治局常務委員は全員その「臣下」に甘んじなければならない。

新しい最高指導部のもうひとつの特徴は**ブレーキ役の不在**である。最高指導部7人中4人は子分＝イエスマンだ。他の2人もそれほど実力を持っていない。だから政治局常務委員会には内外政策の意思決定における習近平の過ちを正し暴走にブレーキをかける人間もいなければ、そのようなメカニズムもまったく存在しないのである。

ブレーキをかけられることのない習総書記がいったん暴走し始めたら、もはや誰も止めることはできない。極端に言えば、彼が戦争を決断すれば、中国はそのまま戦争に突入していくのである。

最後に、新最高指導部は**後継者不在の構成**になっている。前回の党大会で誕生した最高指導部に後継者がいなかったのと同様、新最高指導部にも後継者に当該する人物は見あたらない。

趙楽際、蔡奇、王滬寧、李希の4人は、年齢面からして後継者となることはまずない。李強は年齢的にはギリギリの線である。だが首相となる以上、一般的には総書記・国家主席になる目はない。共産党政権の歴史上、首相から総書記・国家主席に昇進した前例は1度もないのである。

いちばんの若手の丁薛祥の場合、年齢的には後継者になる可能性があるが、筆頭副首相となるので、将来は総書記よりも首相になる可能性が高い。

前回の党大会後と同様、習近平は今の新しい指導部に自分の後継者となる人事をあえて行わなかった。5年後の次の党大会でも引退するつもりはまったくないからだ。3期目が終わったところでやはり4期目へと進む腹づもりである。

彼は事実上の終身独裁を目指しており、中国の新皇帝になりきるつもりである。軍事大国の中国はこのワンマン独裁皇帝の下で周辺世界にとってますます危険な国となっていくに違いない。**習近平皇帝こそまさに災いの元**である。

今回の党大会で反対勢力を全部排除し、子分たちで最高指導部を固め、本格的な習近平独裁政権が船出した。全員が有能どころか徳もなければ能力もない取り巻きだとすれば、**中国の歴代王朝の末期症状と同じ**である。

最悪の5年間が始まった。5年もつかどうかはまた別問題だとしても、一応はもつならば、これからの5年間は大変なことになるだろう。

## 北戴河会議で成立した人事での共青団派との合意

ただし今回の中国共産党大会で衝撃的な一幕があったことを忘れるわけにはいかない。

昨年10月22日の党大会の閉幕式では外国人記者も入った衆目環視のなか、習近平の指示により前総書記・前国家主席の胡錦濤《こきんとう》が強制的に退場させられたのである。それは世界中の人々を大いに驚かせ、習の権勢の絶大さと独裁者としての横暴さを端的に示した象徴的な場面となった。

党大会は独裁者の完全勝利で一人勝ちとなった。それにしても彼はいったいどうやってそれほどの大勝利を手に入れたのか。長老の胡錦濤を会場から追い出すような前代未聞の暴挙に打って出たのはなぜなのか。党大会が終わってもこれらの問題は大いなる謎として残り、世界中のジャーナリストやチャイナウォッチャーたちの興味と関心の的となった。

習政権と中国の行方を考えるうえでもその謎解きはどうしても必要となってくる。私は、あらゆるルートから収集してきた数多くの断片的な情報を根拠に自分なりの謎解きを行った。数多くの断片的な情報を合理的思考をもってつなぎ合わせ、習近平大勝利・胡錦濤強制退場に至るまでの内幕を再構築してみたのだ。

そこから浮上してきたのは、まさに奇襲作戦の展開によって事実上のクーデターが成功した陰謀の一部終始であった。

それはまず昨年8月に開かれた北戴河《ほくたいが》会議にさかのぼらなければならない。避暑地の北戴河で毎年の盛夏に開催され、中国共産党の有力長老と現役指導部のメンバーが揃って参加するこの非公式会議は重要人事や政策方針を決める場となっている。もちろん昨年の北戴河会議もそうだ。

その会議では秋開催予定の党大会に向けて、胡錦濤が創建し現役の李克強首相を中核とした共青団派と習近平陣営の間で激しい駆け引きが展開されたのである。一連の駆け引きと妥協の結果、ひとつの取引が成立した。

取引の中身とは、共青団派は習近平が慣例を破って総書記・国家主席を続投することに同意するのと引き換えに、共青団派最高幹部の李克強《りこっきょう》首相と汪洋《おうよう》政協会議主席の政治局常務委員留任を認めさせる、というものである。

69歳の習近平が最高指導者のポストを続投するのであれば、彼より2歳下の李克強と汪洋は当然引退する必要がない。そのときの合意内容の一部として今年3月の全人代では李克強が全人代委員長に昇進し、汪洋が首相（国務院総理）に就任することも決められたのだった。

昨年10月の党大会はまさに以上の合意を前提に開かれたものだ。逆に言うと、合意があったからこそ大会を開くことができた。だから党大会開幕の時点ではその合意は当然有効であると共青団派の人々は理解していたのである。

昨年10月18日に党大会主席団は第2回会議を開いた。この会議において大会副秘書長で習近平の子分でもある陳希《ちんき》中央組織部長が新中央委員会委員の候補者名簿の説明を行った。この名簿を主席団は承認し、大会参加の各代表団に提出して吟味・検討を求めることを決めた。そのときの新中央委員会委員候補者名簿には李克強と汪洋の名前も確かにあったのだ。

以後は20日までに候補者名簿は大会代表たちの吟味・検討を経て、いったん主席団秘書処に戻されて調整が行われた。10月21日午前、大会主席団は新中央委員会名簿案を承認した。この名簿草案には依然として李克強と汪洋の名前が記載されていた。

## 新しい人事案から李克強と汪洋が排除された経緯

名簿案の問題を別の角度からもう1度見てみよう。

10月21日午後から、大会代表たちは自らの所属する代表団で名簿案を討議・吟味する手続きに入った。奇襲作戦のクーデターが始まったのはまさにそのときだったのだ。

大会秘書長の王滬寧と副秘書長の陳希の工作により、習近平の子分たちが共産党書記を務める上海、天津、重慶3大直轄市の代表団で騒ぎが起きた。3つの代表団の数多くの代表たちからは名簿案に対し、「新中央委員会は平均年齢が高すぎる。もっと若返りすべきだ」との意見がいっせいに噴出した、とのことである。

本来、中国共産党大会で上から出された名簿に異議を唱えること自体が珍しい。だから多数の異議が一斉に噴出するようなことは、当然、上の誰かが行った動員工作の結果でしかない。大会の事務を仕切っている王滬寧と陳希の2人が習近平の意向を受けて動いたのであろう。

その日の晩、王滬寧と陳希が牛耳る大会秘書処は前述の3つの代表団から上がってきた「意見」に基づいて名簿の「再調整」を行った模様である。それはごく少人数が密室のなかで行った作業であって中身は誰も知らない。とんでもない陰謀がまさに実行されたわけである。

10月22日午前9時に党大会は閉幕式を迎えた。単なる式典ではなく、冒頭から新中央委員会メンバーの選出という大会の最重要のセレモニーがある。形式的には2000人以上の大会代表は全員、大会主席団の秘書処から配られた名簿案に基づいて無記名投票で選挙を行う。実際には代表たちは上から配られた名簿案に従って、そのまま賛成票を「粛々と」投じていくのだ。

ただし名簿案の配り方には2通りがある。ひとつが名簿案を一般の代表たちには入場したところで手渡しで配る方法だ。一方、壇上に座る主席団のお偉いさんたちには手渡しで配ることはしない。お偉いさんたちが書類を自ら手に持って壇上に上がるのは尊厳を損なう恐れがあるという配慮からである。主席団のお偉いさんたちの書類は全部、大会のスタッフたちの手で壇上の彼らの席にそれぞれ事前に置かれることになっている。

当然、その日の党大会の閉幕式では選挙用の新中央委員会名簿案は最初から主席団全員の席に配布済みとなっていた。閉幕式の直前、主席団全員は一斉に壇上に上がってそれぞれの席に座り、もちろん座ってから目の前の書類を開いて最終版の新中央委員会名簿案に目を通したのである。

そのとき、まさに**驚天動地の大異変が静かに起きた**。壇上の席に座った共青団派の李克強や汪洋は名簿を開いて初めて自分の名前はもはやそこにないことに気がついたのだ。**びっくり仰天して狐につままれた思い**になったのではないか。

彼らは直前まで自分が新中央委員会メンバーに選出されることを信じて疑わなかった。自分の政治局常務委員留任は先の北戴河会議で合意した決定事項であって、新中央委員会メンバーに選出されるはずだったからだ。しかも閉幕式前日の21日に主席団秘書処から配られた名簿案には確かに彼らの名前があった。彼ら自身もその目で確認したはずである。ところが実際には前述の通り、21日の晩になると大会秘書長の王滬寧と副秘書長の陳希が密室のなかでとんでもない陰謀を実行したのだ。陰謀とは「新中央委員会はもうちょっと若返りすべきだ」という上海、重慶、天津の3代表団の「意見」を聞き入れる形で名簿案に手を加えて、李克強と汪洋の2人を最終版名簿から外したというものだ。

陰謀の実行者たちはそのことを完全に内密にしておいたので、李克強ら共青団派幹部は陰謀のあったことを知らずに22日午前の閉幕式を迎えたのである。

李克強と汪洋は壇上の席に座って目の前の名簿を開いて初めて、とんでもない謀略が実行されたことを知った。自分たちは習近平陣営によって新中央委員会からも中央指導部からも排除されているではないか。

彼らの受けた衝撃の大きさは想像に難くない。だが、彼らがその場で何らかの行動を起こすのにはすでに遅すぎた。高い地位にいる者の体面もあって、2人は閉幕式直前に大勢の代表たちの目の前で**「名簿に俺の名前がないぞ!」**と騒ぎ出すわけにもいかない。また、閉幕式がすでに始まっているから、2人で席を離れて緊急対策を協議することもできない。

結局、指をくわえて事態の推移を見守るしかなかったのである。

司会の習近平が閉幕式の始まりを宣言して新中央委員会の選挙に移ったとき、李克強と汪洋は体を一切動かさず、ただ茫然自失の体で目前の空白をずっと見ていた。彼らの心境はいかばかりだっただろうか。

新中央委員会の選挙はスムーズに進行した。これで奇襲作戦はまんまと成功を収め、李克強と汪洋の排除も見事に成し遂げられる。そう習近平陣営が安堵した後に、あの胡錦濤による衝撃的な一幕が起こったのである。

## 外国人記者団の前で起こった前代未聞の衝撃の一幕

残る最大の謎は、李克強と汪洋のボスである胡錦濤が党大会の閉幕式の冒頭で2人の子分の名前が外された名簿案に目を通したはずなのにどうして黙っていたのかである。

李克強と汪洋も自分たちのことでは大会で騒ぎ出すことはできない。しかし長老の胡錦濤は違う。北戴河会議合意の当事者であり、李克強と汪洋の親分として、本来ならその場で騒ぎ出して名簿案の欺瞞《ぎまん》を正さなければならない。

胡錦濤はいったいどうして黙っていたのかという最大の謎に迫るべく、私もさまざまなルートを使って情報収集に努めた。手に入ったさまざまな情報から総合的に判断すると、真相は以下のようなものだったのではないかと推測できる。

おそらく閉幕式で壇上に座る胡錦濤の席に事前に置かれている名簿案は彼以外の人たちが手にした名簿とは違っていたのではないか、ということである。胡錦濤に配られた名簿案は全員のそれと違った特別版の名簿であって李克強と汪洋の名前もきちんと載せられていたのである。

つまり習近平陣営は、胡錦濤が閉幕式で本当の名簿を見ていたらきっと騒ぎ出すだろうと想定し、それを避けるために**いちばん汚い手口を使った**のだ。すなわち、胡錦濤だけに偽物の名簿案を配布して最後まで彼を騙そうとした。

結果的にはそれが奏功して、新中央委員会の選挙が終わるまで胡錦濤は李克強と汪洋の2人が外されていることに気がつかなかった。言ってみれば、「毒を食らわば皿まで」という諺通りの徹底した騙しを使って、北戴河会議の合意を土壇場で覆すというクーデターはこれで完全に成功したのだった。

ところが、習近平陣営にとって予想外のことが選挙の終わった後に起きた。

新中央委員会の選挙が終わって次のプログラムに入る前にはしばらくの小休憩がある。

多くの代表がトイレのために、あるいは一服のため会場から出たり入ったりしていた。胡錦濤も席を立って付き添いに伴われて会場外に出た。トイレへ行ったのか休憩室へ行ったのかは定かではない。

しかし、そのときに胡錦濤は誰かに「名簿案には李克強と汪洋の名前はなかった」と密かに告げられたのである。びっくり仰天した胡錦濤は急いで壇上に戻って自分に配られた名簿を再確認しようとした。

一方、休憩時間中には外国人記者団が入場を許されて、会場の2階と3階の席にカメラを設置していた。その一部のカメラが撮影を開始したのが、まさに壇上の自分の席に戻った胡錦濤が目の前の名簿を再確認しようとしたときだった。

以後、展開された一連のシーンは外国人記者団のカメラがとらえた通りのものである。すなわち胡錦濤が名簿を再確認しようとしたところ、隣に座っていた習近平側近の栗戦書《りっせんしょ》全人代委員長がそれを阻止し、名簿案を胡錦濤から取り上げた。その名簿案が偽物だったからこそ、栗戦書は胡錦濤による再確認を止めようとしたのだ。名簿案を取り上げた理由は**まさに汚い陰謀の不動の証拠になる**からだろう。

胡錦濤は不服として栗戦書と言い争い、隣の習近平の書類にも手を伸ばそうとして止められた。騒ぎが大きくなることを恐れた習は、中央弁公庁の副主任を目線で呼び出して何かを指示した。すると副主任に連れられてきた精悍な若い男（おそらく中央警備局の要員）がやってきて、物理的な力で前総書記・前国家主席を強制的に退場させたのである。

このように中国共産党史上前代未聞の衝撃の一幕は、外国人記者団のカメラの前で堂々と展開されたのだった。

## 習政権10年間の回顧と総括と今後

ここで2期10年の習政権の歩みも回顧しておきたい。政権誕生以前の10年間、中国を統治したのは胡錦濤政権だった。この政権の下では中国の政治・経済は相対的に安定しており、世界の主要国との関係もおおむね良好だった。2008年の北京夏季五輪の開幕式には米国大統領、フランス大統領、日本国首相、オーストラリア首相なども出席して式典を大いに盛り上げた。2010年に中国はGDP（国内総生産）で日本を抜いて世界第2位の経済大国となった。

国内政治では胡錦濤政権は鄧小平《とうしょうへい》の遺訓に従って集団的指導体制で政権運営を行い、毛沢東流の個人独裁政治が過去のものとなったかのように見えた。２０１２年11月の中国共産党大会で胡錦濤は鄧小平がつくった「最高指導者２期10年で引退」というルールに従って退陣し、習近平に政権を渡したのだ。

ところが習政権になってから、すべてが変わった。彼は「腐敗摘発運動」の推進で政敵を潰しながら自分の個人独裁体制を確立させ、「新皇帝」として中国に君臨するようになった。一方、彼は「最高指導者２期10年」の鄧小平ルールを破って３期目の続投を画策し、昨年10月の党大会でそれを実現した。

習近平は政策の面では鄧小平の改革開放路線に逆行する「共同富裕」の理念を打ち出し、中国経済に活力を与えてきた民間企業の統制強化に力を入れるようになった。その結果、政権の２期目になってから経済の沈没が進み、政府発表の昨年第２四半期の成長率はついに０・４％の危険水域に入った。

外交の面では鄧小平以来の「**韜光養晦**《とうこうようかい》（才能を隠して内に力を蓄える）」政策に決別を告げ、「南シナ海軍事支配」や巨大経済圏構想の「一帯一路」を柱とする赤裸々な覇権主義拡張戦略を推し進めた。

一帯一路は陸上のシルクロード経済ベルトと21世紀海上シルクロードから成り、２０１

7年10月に正式に国家ビジョンとなった。まず陸上のシルクロード経済ベルトは中国沿海、中原、西北を抜け中央アジア、ロシアを経て最西端はヨーロッパ西海岸までつながる鉄道・道路による経済開発構想。21世紀海上シルクロードは中国沿岸部から南シナ海、インド洋を抜けてアラビア半島東部を結び、地中海をもうかがう海上貿易構想だ。

かつての「中華帝国」の栄光を取り戻して中国を覇者とする**「中華秩序」の再建**を目指しているのである。

しかしそれがアメリカや日本、インドなどの主要国・周辺国の大いなる警戒心と危機感を呼び起こす。「クアッド」という日米豪印の4ヵ国による中国封じ込めの国際的枠組みの形成、さらに日米同盟とNATOとの対中国連携の強化につながった。

目下、インド太平洋地域においては西側主要国による中国包囲網ができ上がっている。中国の脅威に対する自由世界の目覚めを促した「功労者」の1人は習近平にほかならない。

また、香港の市民運動を徹底的に鎮圧して「一国二制度」を完全に打ち壊した。尖閣諸島周辺の日本の領海に対する侵犯も繰り返し、台湾への軍事恫喝をエスカレートさせて侵攻の準備を着々と進めている。

気がつくと中国は今、日本周辺とインド太平洋全体の平和と秩序に対する最大の脅威となっている。習政権は、ロシアのプーチン政権と並んで世界の安全を脅かす最も危険な政権となったのである。

このような習政権が今後5年間、場合によって10年間も続く。いったい何を目指し何をやり始めるのか。断言できるのは、これから5年間の中国はアジアと世界にとっての**「禍の元」**でしかない、ということだ。

# 第2章

# 「白紙革命」の強烈なインパクト

## 共産党の統治を否定する「白紙革命」は前代未聞の大事件

２０２２年11月24日に新疆自治区ウルムチ市で高層マンションの火災が起こった。だが、ゼロコロナ政策によって高層マンションが封鎖されていたため、多くの住民が物理的に封じ込められて逃げられずに焼死・窒息死してしまった。なかには3歳の子供も犠牲者に含まれていた。犠牲者はウルムチ市政府の発表では10人だったから、その倍以上は必ずいる。火災事件に怒った数万人のウルムチ市民たちはさっそく11月25日夜に動き出した。ウルムチ市政府の本部ビルを包囲して抗議活動を行ったのである。

中国国民もこの火災事件に大きな衝撃を受け、ゼロコロナ政策に対する反発に火がついたのだ。11月25日から28日にかけて広範囲な群衆抗議運動が起きたのだった。すなわち、北京、上海、成都、南京、武漢、深圳、広州など全国計18都市で続々と抗議デモや集会などの抗議行動が展開された。北京大学や清華大学をはじめ全国で計79の大学の構内や周辺でも大学生による抗議行動が頻発するようになった。結局、天安門事件以来の規模の抗議運動に膨れ上がったのだ。

際立った動きになったのが上海市だった。11月26日深夜から未明にかけて市内の「烏魯木斉路＝ウルムチ通り」に若者を中心に多くの市民が集まり、ウルムチ惨事の被害者を弔うことから抗議行動が始まった。そこでついに「習近平退陣」「共産党退陣」の驚天動地のスローガンが彼らの口から叫ばれ出したのである。

また11月27日には、清華大学構内で1人の女子大学生がA4の白紙を掲げて抗議活動を行った。それをきっかけに1枚の白紙を手にして抗議活動を行うことが「流行」となり、ゼロコロナ政策に対する抗議運動は「白紙革命」と呼ばれ始めた。さらに今や白紙は反独裁・反習近平のシンボルともなっている。

これまでにも共産党政権下では多くの騒乱や動乱が発生した。しかしそれらと違う**白紙革命の特徴はまず迅速性と広範囲性**だ。11月25日にウルムチ市で抗議活動が起きると、アッという間に全国に広がり、数日の間に東西南北の計18の都市へと蔓延した。まさに燎原の火のような展開だった。

最初はゼロコロナ政策の封じ込めに反対する抗議運動から出発した白紙革命は、直ちに革命の色彩の強い政治運動へとエスカレートしていった。

しかも上海を皮切りにして北京や成都などで行われた抗議デモ・集会では「終身制はいらない」「皇帝はいらない」「改革は必要、文革はいらない」「自由は必要、独裁はいらない」「自由がなければ死んだほうがマシだ」「習近平退陣せよ」「共産党退陣せよ、共産党引っ込め」といったかなり先鋭化した政治的訴求を掲げたスローガンが叫ばれるようになった。

「共産党退陣せよ」と求める政治スローガンが公然と叫ばれたのは1949年に共産党政権が成立して以来、初めてのことだ。つまり、共産党政権そのものに矛先を向けた革命運動の様相を呈し始めた。**従来には考えられなかった**ことだ。

天安門事件でも共産党の統治を徹底的に否定するようなことはしていない。民主化を突き詰めると共産党一党独裁を終結させる必要がある。しかし誰もそこには進んでいかなかった。漠然として共産党に民主化の方向性を求めるということで、共産党もそれに歩調を合わせて一緒にやろうじゃないかということだった。

したがって共産党の統治を否定する白紙革命は、まさに前代未聞の大事件であり、政治訴求の先鋭さにおいても**天安門事件を超えた画期的な出来事**だった。

## 中国国民はいつ爆発してもおかしくない状況だった

11月25日のウルムチでの抗議行動をきっかけにして、数日間のうちに天安門事件以来の最大規模の群衆的反乱運動である白紙革命が勃発した。これは海外にも飛び火し、例えば東京の新宿でもけっこう大きな騒ぎになった。

白紙革命という広範囲の革命運動が勃発した背景には何があるのか。まず習政権の強引なゼロコロナ政策に対する国民的反発の広がりだ。

過去3年間にわたって、極端にして乱暴なゼロコロナ政策が強行された結果、経済が疲弊し国民の多くは基本的自由を奪われて生活の基盤も失った。物理的封じ込めを基本とする異常な政策に対する国民全体の忍耐は、すでに限界を超えていた。

実際、ウルムチ市での抗議運動勃発の10日ほど前に、広東省広州市海珠区内の封鎖区域で住民たちがバリケードを壊して封鎖を突破し警察部隊と衝突する事件も起きていた。11月25日からの一連の抗議運動では、封鎖解除を求めることが終始一貫した群衆の基本的訴求のひとつとなったのだ。

運動勃発の2番目はやはり経済問題だろう。ゼロコロナ政策も一因となって中国経済は今や沈没の最中である。商店主・中小企業中心に企業倒産ラッシュが起きていて、昨年上半期だけでも、企業の倒産件数は46万件に上った（同じ時期における日本の企業倒産件数は3000件余）。若者中心に失業が拡大し、給与削減の一般化による人々の収入減、そして不動産市場の崩壊による中産階級の破産も一般的な現象として起きている。とにかく各階層において経済沈没に苦しむ人々が日々増えている深刻な状況だった。このような深刻な経済状況はまた民衆の反乱運動発生の温床のひとつとなっている。

加えて、いわば「習近平問題」が抗議運動勃発の政治的背景にあった。今までの多くの失策・愚策で国民からの信頼を失った彼は、10月の中国共産党大会では鄧小平時代以来のルールを破って自らの続投を強行し、開明派・改革派だと思われる李克強らを党指導部から一掃した。しかも国民的人望のある胡錦濤を党大会壇上から強制的に退場させるという横暴な振る舞いを堂々と演じて見せた。一方で無徳・無能の側近たちを抜擢して党の最高指導部を固めた。

この一連の政治的蛮行が行われた結果、横暴にして愚かな指導者と今の共産党指導部体制に対し、多くの国民は大変な嫌悪感を持つことになり、習政権下の中国の未来に深い絶望感を持つようになった。特定の指導者の存在そのものが反乱の発生を誘発する最大の政治的要因となっているのだ。

以上、白紙革命には3つの問題があるため、中国国民はいつ爆発してもおかしくない状況下に置かれていたと言える。

だから何らかの突発的な出来事が起きて、それが火をつけると一気に爆発する勢いだった。文字通りの火つけ役となったのが11月24日のウルムチ市内での高層マンション火災にほかならない。

しかも11月26日、「火に油を注ぐ」ということわざ通りの出来事があった。その日の人民日報が1面トップで「習近平主席がソロモン諸島の地震災害に対し、ソロモン総督に慰問電報を送った」というニュースが出たことである。

習近平はウルムチ市の高層マンション火災で多数の国民が焼死・窒息死したことに対し一言も発していなかった。そのためこの「慰問電」のニュースは、人的被害のなかった外国の地震災害に慰問電を打ったのはどうしてか、という中国国民の疑問と怒りを掻き立てたのだ。言い換えれば、慰問電によって自分たちの苦しみに無関心な暴君に対する中国国民の反感が露わになった。

最初に反ゼロコロナ政策から始まった運動があっという間に政治運動に発展し、「習近平退陣」「独裁はいらない」「共産党退陣」と叫ぶことになったのには、私自身も非常にびっくりした。それを見た**新しい共産党指導部も大変な衝撃を覚えた**に違いない。

11月27日午前、ウルムチ市政府は記者会見を開き、28日から段階的に市内の封鎖を解除し、公共交通機関を再開させ市民生活を通常に戻す方針を発表した。

25日夜に市政府の本部ビルを包囲したウルムチ市民の抗議活動がウルムチ市政府の「封鎖解除宣言」につながったと思われる。こうして、「市民が抗議行動を起こせば政府が敗退する」という前例ができたことは、多くの中国国民への大きな鼓舞となり「反封じ込め」運動の広がりに拍車をかけたのである。

## 習政権の部分的敗退で民衆反乱時代の幕が上がる

昨年11月29日の新華社通信によれば、中国警察・武装警察の総元締である共産党中央政法委員会トップの陳文清《ちんぶんせい》は28日に同委員会の全体会議を開いて「敵対勢力による浸透・破壊活動を徹底的に取り締まろう」と指示した。

タイミング的には、過去数日間の群衆抗議運動に対して「それを鎮圧せよ」との号砲が鳴らされたとも理解できる。だが、それでも政権は正面から全国の抗議運動を明確に批判する対決姿勢を示さなかった。従来、国内の異議者たちに厳しい弾圧を行ってきた習政権にしては異様とも言うべき控え目な対応ぶりだった。

もちろん水面下で政権側は、各地の抗議運動で突出したパフォーマンスを見せた人やリーダーだと思われる人を密かに逮捕している。それでも抗議運動全体に対する大がかりな鎮圧行動が展開されたという情報はない。

代わりに政権側は各地で警察部隊を総動員して全国の都市部で厳重な警戒態勢を敷き、警察力をもってさらなる抗議活動の発生と拡大の封じ込めに躍起になった。それが功を奏して12月に入ってからは抗議運動は急速に下火となり、一時的に鎮静化した。

抗議運動の鎮静化とほぼ同時に習政権は意外な行動をとった。北京、上海、深圳などの大都会でゼロコロナ政策による厳しい規制や封鎖を部分的に緩和させたことである。

例えば北京市では12月に入って陰性証明なしでスーパーマーケットで買い物ができるようになり、多くのコロナ検査所も撤去された。地下鉄を利用する際の陰性証明の提示も12月5日から不要となった。広東省深圳市は公共交通や公園を利用する際に提示を義務付けていたコロナ検査の陰性証明を不要にすると発表した。上海、成都などの都市でも同じような規制緩和が実施された。

一連の抗議デモが発生するまでにあれほど厳しいコロナ封じ込め策を講じていた習政権は、いったいどうして突然の規制緩和に踏み切ったのか。その意思決定が行われた内情は不明である。

ただし抗議運動自体を正面から断罪して鎮圧を宣言しなかった当局の対応に照らし合わせてみると、どうやら習政権はアッという間に全国規模に広がった抗議運動の勢いに大きな衝撃を受け、さらなる拡大を恐れて全面対決の姿勢を控えめにしたのではないか、と想像できる。

同時に習政権は、民衆の不平不満を和らげるためにコロナ規制の一部緩和を行った。その意味するところは、強権姿勢の独裁政権も結局、立ち上がった民衆の力を恐れて不本意の敗退を余儀なくされたということである。

そこで習近平は**独裁者としての致命的な失態を犯した**。というのは、政権の看板政策であるゼロコロナ政策について自ら主導権を発揮して緩和したり変更したりするのではなく、民衆による抗議運動勃発の結果、政策の緩和を行ったからである。これは独裁者自身の権威を大きく傷つけることとなる。かたや民衆側は大きな自信を持つことになる。

そのような成功体験を味わった民衆は、今後も政権の抑圧や失策に対し我慢せずに抗議と反対の声を挙げるようになるはずだ。とすれば民衆の抗議運動に対する習政権の部分的敗退は**パンドラの箱**を開けてしまい、民衆による反乱の時代の幕が上がることになるかもしれない。始まったばかりの習政権3期目には、多難と多乱の時代になっていくという予感がある。

## 白紙は反独裁・反共産党のシンボルになっていく

前述のように、昨年11月25日から29日まで中国各地で広範囲な群衆抗議運動が展開された。政府による極端なコロナ封じ込め策への反発から始まった運動は、アッという間に国の東西南北に広がり、同時に革命の色彩の強い政治運動へと迅速に変質した。

上海、北京、成都などで行われた抗議デモ・集会では「終身制はいらない、皇帝はいらない」「自由は必要、独裁はいらない」「習近平退陣せよ」「共産党退陣せよ」などの先鋭化した政治的スローガンが叫ばれ、抗議者たちは共産党独裁体制そのものに反旗を翻した。

これはA4サイズの白紙を掲げて反体制の意思を表明する白紙革命となった。今後の中国情勢に及ぼす影響の面においては白紙革命勃発の意義は決して小さくはない。その意義とは、習政権3期目が始まったばかりのタイミングで民衆の反乱が起きたことである。

昨年10月に中国共産党大会が開かれた結果、習近平は異例の続投を果たし、党内の反対勢力を最高指導部から一掃して自らの個人独裁体制を盤石なものにした。政権3期目のスタートは**「皇帝習近平の時代」**の幕開けである。それを迎え撃ちにしたのが民衆からの「退陣せよ」の怒号であり、「皇帝はいらない」という民意がはっきりと示された。

となると政権3期目の今後5年、「習近平VS民衆」の対立構図が続き、党内の敵を一掃したはずなのに民衆という最大の敵と戦う

白紙をかかげる白紙革命

羽目になる。それでは政権の正常なる安定運営はもはや望めないし、何かのきっかけで民衆の反乱が再び勃発してくる可能性がいつでもある。これから間違いなく騒乱と動乱の時代となっていく。

白紙革命の意義のもうひとつは、やはり「共産党は退陣せよ」「自由は要る、独裁はいらない」という共産党独裁体制そのものの終焉を求める革命的な政治訴求を初めて掲げたことである。今度の運動では長年のタブーがいとも簡単に破られた。微弱ではあるが、いわば反体制革命の火種が生まれたのだ。

今後はおそらく反体制の白紙革命は反習近平の気運が高まっていくのと相まって、より静かな形で進行していくこととなるだろう。白紙という革命のシンボルを手に入れた以上、人々が反体制の意思を示すのに抗議デモを行う必要もない。1枚の白紙を手にとって掲げるのも、純白のシャツを着用して街を集団で練り歩くのも、革命の志を示し運動の連帯感を保つ巧妙な方法となるからだ。

いずれ機が熟すれば、革命はそれまでに蓄積したエネルギーを一気に爆発させて大きなうねりをつくり出す可能性も十分にあるだろう。そのときこそすべてが変わるのである。

今から73年前に共産党政権が成立して以来、共産革命のシンボルである「赤」が中国を支配してきているが、これからの中国は徐々に白紙革命の「白」に染まっていくことを願いたい。**「赤い中国」**ではなく**「白い中国」が世界史に現れる日が来る**かもしれない。

なお、白紙革命の抗議運動が起きている最中に元総書記・元国家主席の江沢民《こうたくみん》が死去した。11月30日のことである。

鄧小平が実権を握っていた時代、冬になると北京は寒いので長老たちはみんな上海に行った。そのときの上海のトップが江沢民で、彼にとっては長老たちに媚《こび》を売るチャンスがいっぱいあった。それで長老たちの歓心を買って出世した彼はおそらく、共産党内での自らの立場を強化する目的で日本叩きに乗り出したのだ。強硬な対日姿勢は党内政治上の思惑によるものである。その思惑で彼が始めた反日教育によって中国国民の反日感情がつくり出され、かつ広がっていった。日中関係を壊すことで自分の権力基盤を固めていったのである。

江沢民政権の下では中国人民解放軍もさまざまなビジネスに手を出した。次の胡錦濤政権は基本的には江沢民派によって牛耳られていた。江沢民は自分の政権の13年間と胡錦濤政権を裏で牛耳っていた10年間、さらに習政権の最初の2年間を入れると、**江沢民時代は実質的には25年間**だったとも言えるだろう。

胡錦濤政権のときには共産党を批判しない限り、市民生活でもビジネスでも比較的自由度は高かった。ところが習政権になってから強権政治となり、すべてが変わった。今思えば胡錦濤政権は**「古きよき時代」**だったのである。

## 目標をまったく達成できずにゼロコロナ政策を放棄

昨年12月7日、中国の国家衛生健康委員会は、10項目からなるコロナ対策の新しいガイドライン「新10条」を発表した。その注目すべきいくつかの重要内容を羅列すれば以下のものである。

①各地における「強制的な全員PCR検査の定期実施」は廃止。
②公共交通機関と病院・学校を除く公共施設、商店、スーパー、オフィスビルなどを利用する際のPCR検査陰性証明の提示は廃止。
③省や自治区などを超えて移動する際の陰性証明提示は廃止。
④すべての感染者を隔離施設や病院に移す措置は廃止、無症状あるいは軽症の感染者の自宅隔離を認める。

⑤感染拡大への封鎖措置に関しては、都市全体あるいは住宅団地全体の封鎖はやめ、封鎖は感染が確認された建物やフロアに限定される。

以上の内容からすれば、この新しいガイドラインの発表と実施はもはやゼロコロナ政策の緩和程度のものではない。事実上、同政策の放棄であって、180度の政策の大転換である。

ゼロコロナ政策というのは文字通り、コロナ感染をゼロにするということだ。つまりコロナの完全撲滅を目指した政策で、この政策実施の前提は「強制的・定期的なPCR全員検査」だった。

例えば都市部なら48時間内に1度あるいは72時間内に1度、政府当局の手によって市民全員に対するPCR検査は徹底的に行われる。このような徹底的なPCR検査の実施によって陽性者と感染者は漏れることなく迅速に割り出されて隔離施設へ送られることになる。どこかでコロナが出たら直ちに撲滅されて感染の拡大は最小限に封じ込められるのである。

一方、市民全員はPCR検査を受ける度に、陽性でなければ有効期間限定の陰性証明を発行してもらう。市民は48時間か72時間の有効期限内に陰性証明を提示することによって電車やバスなどの公共交通機関を利用できるし、病院や学校、スーパー、オフィスビルなどの公共施設にも入れる。こうした措置が取られることで陽性者や感染者が市中に出回って公共施設に出没するようなことが基本的になくなるから、コロナの感染拡大を極力避けられる。

それでもコロナの感染拡大が発見されたときには最後の手段として政府当局は住宅団地、町、都市を丸ごと封鎖するという極端な措置を取るのだ。例えば筆者の出身地である四川省成都市（人口2100万人）の場合、昨年8月31日に新規感染者数が156人になったところで翌日9月1日からまる2週間、都市全体がロックダウンされた。

つまり、「強制的・定期的なPCR全員検査」、あらゆる公共施設に出入りする場合の陰性証明提示、極端な封鎖策が中国政府のゼロコロナ政策の実効性を支える3本の柱だった。ところが新10条を見ると、特に①、②、⑤は「3本の柱」となる政策措置は完全に廃止されたり大幅に緩和されたりしていることが明白である。それではゼロコロナ政策はもはや成り立たない。政策そのものが放棄されてしまったのだ。

つまり新10条の発表と実施は、ゼロコロナ政策の単なる緩和ではなく、思い切った政策の大転換なのである。ただしこの政策転換は、政策当初の目標を達成したうえでの政策転換ではない。

そもそもオミクロンという新しい変異株が世界的に広がったときから、コロナの完全撲滅はすでに不可能になっている。実際、中国であれほど厳しい封じ込め策が実施されてきていても、感染拡大を完全に阻止できたわけではない。昨年12月6日までの28日間連続、中国国内の新規感染者数は1万人を超えている。

とすると12月7日からの政策転換すなわちゼロコロナ政策の放棄は、まさに目標がまったく達成できなかったなかでの**政策の放棄**である。意味するところはゼロコロナ政策そのものの敗退であって、約3年間にわたって政治権力によって強行された政策は失敗に終わったわけである。

## ダブル敗戦の大打撃に見舞われた習政権

政権のゼロコロナ政策に対する強い反発から始まった民衆運動はアッという間に全国に広がり、同時に「反習近平・反体制運動」的革命運動にまで発展した。その後、当局は警察力を動員して抗議デモを封じ込め、その鎮静化に一応成功したものの、運動の全国的拡大と先鋭化はやはり、習政権に大きな衝撃を与えたはずだ。

運動収束直後の12月7日、当局は上述の新10条を発表して直ちに実施に移した。やはり抗議運動の拡大と継続化を恐れて民衆の不平不満を和らげるために急遽ゼロコロナ政策からの転換を断行したのだ。その意味では、ゼロコロナ政策からの政権の撤退あるいは敗退は民衆が自分たちの力で勝ち取った勝利でもある。

もしそうであれば、その政治的意味は実に重大である。要するに、一党独裁体制下の中国で政権が民衆の抗議運動に押された形で政策の大転換と大後退を余儀なくされたわけで、立ち上がった民衆の力を前にして政権が敗退したのである。いわば習政権は、コロナとの戦いに敗退したのと同時に民衆の力にも敗退してしまった。まさに屈辱の「ダブル敗戦」と言えるだろう。

このダブル敗戦が今後の中国政治に及ぼす影響は決して小さくはない。その政治的結果はまず、習近平およびその政権のさらなる権威失墜である。政権があれほど固執してきたゼロコロナが結果的に失敗に終わった。この厳粛な事実は愚かな政策を強行した習近平およびその政権の愚かさをより一層露呈した。同時に国民一般の習近平と政権に対する不信感をさらに増幅させることとなるだろう。

一方、民衆の抗議運動に押されて行った今回の政策大転換は、習政権の政治にひとつの大きな禍根を残すこととなるはずだ。すでに述べたように、政権が民衆の力に屈した形で政策転換を余儀なくされたのであれば、民衆側はこれで政権の足元を見てしまい、自分たちの力に対して大きな自信を持つこととなる。

それでは今後、政権のさまざまな政策に対してその不平不満が限界に達したとき、今回の反ゼロコロナ政策の成功に勇気づけられた民衆が新たな抗議運動に立ち上がる可能性は以前より大きくなることが予想できる。習政権のダブル敗戦は民衆運動あるいは反乱の発生を誘発する火種を自ら撒いたのだ。

# 第3章

# 危うい習政権の新指導部

## 極端な側近人事でレームダック化する中央政府

中国共産党大会後に誕生した共産党指導部の人事に大きな変化が起きている。その変化のひとつは改めて言うと、習近平の「反対勢力」が一掃されたうえに最高指導部が完全に彼の側近たちによって固められたことである。

習近平の個人独裁体制が一層強化された一方、多くの政治上の弊害もこの極端な側近人事から生じてきている。そのひとつが中央政府である**国務院の完全なレームダック化の恐れ**である。

中国の場合、国政の最高意思決定機関は共産党政治局・政治局常務委員会である。対して日常的な国家の管理や経済運営にあたっているのが国務院だ。いわば党と政府による2頭体制が行われてきた。

つまり、政策施行の不一致と不調和が生じやすい政治制度となっているのは確かである。それを防ぐために共産党は、これまで党の最高指導部メンバーの何人かをそのまま国務院の主要ポストに就かせることで党指導部と中央政府との一体化を図り、円滑な政権運営を行ってきたのである。

２０２３年３月の全人代で李強と丁薛祥らが国務院の仕事を経験しないで、いきなりそれぞれ首相と副首相になった。この２人は長年共産党の党務畑でキャリアを積んできた幹部であって、国の経済運営や民生管理にタッチした実績はない。そんな２人が中国という大国の政権運営の重責を担うことになった。いかにも覚束ないことである。

もちろん習近平はそんなことはいっこうに気にしない。側近でイエスマンの２人が中央政府を牛耳って肝《きも》煎《い》りの共同富裕などの社会

**中国共産党の新指導部**

| 党内序列 | 名前 | 年齢 | 前職 | 担当 |
|---|---|---|---|---|
| 1 | 習近平 | 69 | 国家主席 | 中央軍事委員会主席 |
| 2 | 李強 | 63 | 上海市委書記 | 国務院総理 |
| 3 | 趙楽際 | 65 | 中央紀律検査委員会書記 | 全人代常務委員会委員長 |
| 4 | 王滬寧 | 67 | 中央書記処常務書記 | 全国政治協商会議主席 |
| 5 | 蔡奇 | 66 | 北京市委書記 | 党中央弁公庁主任、中央書記処常務書記 |
| 6 | 丁薛祥 | 60 | 中央委員会弁公庁主任 | 国務院副総理 |
| 7 | 李希 | 66 | 広東省委書記 | 中央紀律検査委員会書記 |

**中国共産党の構造**

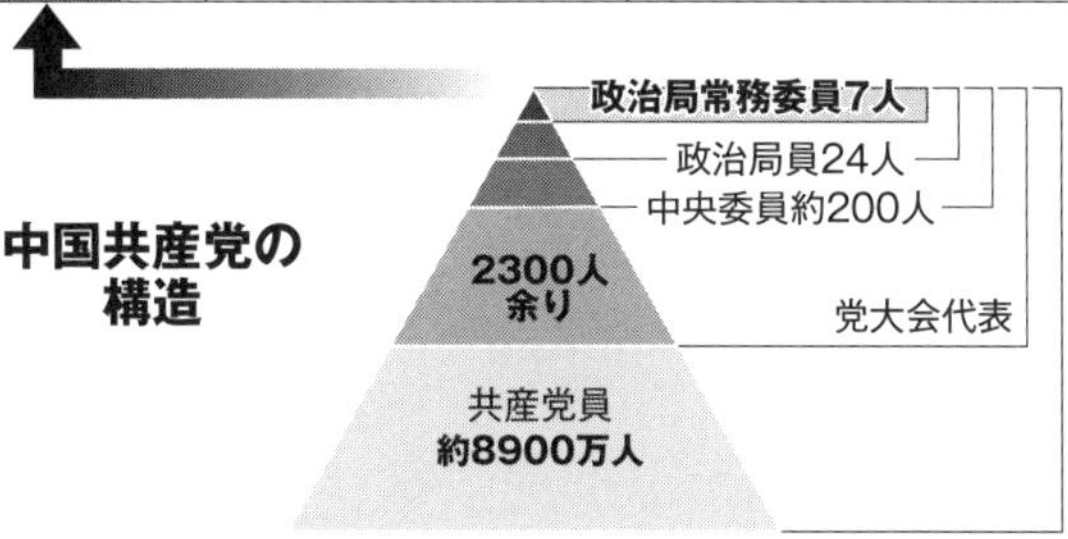

主義政策が貫徹できればいいわけである。

実務面で言うと、李強は悪い経済状況のなかで首相として経済担当の中心に座った。経済がわかるのだろうか。彼は前党書記として上海をボロボロにして中央に上がってきた。これから5年間、首相だというので絶望的な気持ちになっている中国国民も多いだろう。ただしイエスマンである李強の首相としての立ち位置はこれまでの首相とは違う。経済でも親分が主導していくはずだ。

江沢民時代にしても胡錦濤政権時代にしても、経済運営を任されていたのは首相だった。しかし習近平がこれまでの10年間で首相だった李克強から経済運営の主導権を取り上げてしまった結果、経済が落ち込んだ。

それで昨年10月の中国共産党大会の前に李克強に経済運営の一部の主導権を明け渡したのである。だが、党大会で李克強たちを常務委員会や政治局からも追い出した。

個人独裁体制を確立した習政権の3期目は早くも波乱のスタートとなっている。経済で主導権を取るはずの習近平自身は**実は経済に無関心**なのだ。警察力で押さえつけて天下大乱にならない限り、もう経済はどうでもいいと思っているのではないか。

実際、彼は党大会直後に常務委員たちを率いて延安を視察している。経済においても最前線から遠く離れた山の中の田舎に行ったのだ。

## 革命の聖地で行われた「毛沢東回帰宣言」

中国共産党大会が終わって1週間後の10月27日、習近平は新しい常務委員会メンバーの全員を率いて革命の聖地である陝西省延安市を視察し演説を行った。彼の方針として各地方政府の幹部もみんな1度は、その革命の聖地に行って学ばなければならない。

党大会で対抗勢力を排除し独裁的地位を強化して、これから何を目指していくのか。その点で党大会の直後に行った延安への視察こそ政治的に不可欠の行動なのである。つまり、視察先が延安であることが習政権の今後の政治的方向性を示すうえで非常に重要な意味を持っている。

視察先の延安は1935年から48年までの13年間、中国共産党中央指導部の所在地で「共産主義革命」の本拠地だった。1945年に延安で開かれた共産党第7回全国代表大会で毛沢東の絶対的地位と毛沢東思想が確立され、中国共産党による政権奪取の基盤が整えられた。中国共産党からすれば、**延安は革命の聖地**というわけなのである。

したがって党大会の後に、真っ先に最高指導部全員を率いて延安を視察したのは、共産革命は自分の政治の原点で自分こそが毛沢東の真の後継者であることを内外に示すためだ。と同時に、今後の政治路線が毛沢東政治への回帰であることを強く示唆するものだった。延安視察を通じて、自分こそが毛沢東の革命をいちばん大事していると強調したのだ。

延安時代の中国共産党は、敵の国民党政府によって封鎖されるなか、自力で農地開墾などを行い自給自足を行った。その「自力更生」が**「延安精神」**である。

習総書記は延安視察での演説で延安精神という言葉を持ち出し、いかにも時代遅れの革命精神の継承と高揚を国民に呼びかけた。毛沢東の共産革命をいちばん大事にしている以上、当然のことなのである。

しかし中国経済が深刻な状況に陥り、社会問題も山積するなか、最高指導者に期待されるのはまず、政権3期目の経世済民の政策方針を国民に明確に示すことだろう。ところが当の彼は、そのことにまるで関心がない。最大の関心事はむしろ、古色蒼然とした革命精神をいかにして継承し高揚するのかというまさにイデオロギー上の問題なのである。イデオロギー最優先が一貫した政治的スタンスだ。

また同じ演説で延安精神の自力更生の重要性を強調しただけでなく、今まで提唱してきた共同富裕の政策方針を強く訴えた。自力更生と共同富裕は鄧小平路線に対するアンチテーゼでもある。党大会で改革派の共青団派を指導部から排除し、何の遠慮もなく鄧小平の改革開放路線に反対できるようになった。

自力更生・共同富裕はまさに鄧小平の改革開放路線に対する痛烈な批判であり、その路線と正反対の政策理念を持ち出したことも延安視察の重要な意味だったのだ。

改革開放路線は毛沢東の時代が終わり、鄧小平の時代になってから押し進められた。それが市場経済を引き入れ、結果的に貧富の格差を拡大させた。だから共同富裕で改革開放のマイナス部分を是正するということだ。格差を広げた鄧小平の時代を否定したうえで自分こそが一直線に毛沢東につながると考えている。

鄧小平の改革開放路線は中国を世界に対してオープンにして外国の資本と技術を導入し、中国の経済成長の起爆剤にすることを意図した。それに対し、これからは外国資本を頼らずに自力更生でやっていくということなのである。

延安視察での演説は、改革開放路線に反対し毛沢東流の自力更生・共同富裕を全面的に打ち出して今後の政治方針として推し進めるという事実上の所信表明でもあった。

付言すると、イデオロギー最優先・経済軽視路線を端的に示した人事のひとつに広東省共産党委員会書記の新しい任命がある。

中国の場合、省の党委員会書記は省長のうえに立って全省の政治・経済・民生を統括する立場である。中国経済の中心地のひとつである広東省の場合、党委員会書記を務めるのは普通、経済運営に明るくて実務経験豊富な有力幹部だった。

しかし今回、広東省党委員会書記に転任されたのは習近平側近の黄坤明《こうこんめい》だった。2013年から昨年10月の党大会開催までの約9年間、共産党中央宣伝部副部長・部長を歴任した宣伝部の幹部である。宣伝部幹部と言えば、硬直したイデオロギーを振りかざしてプロパガンダを行うことを本領とする共産主義思想の権化そのものである。そんな人物が市場経済最前線の広東省のトップに任命されるとは、**冗談とも思われるような頓珍漢な人事**だ。一事が万事、この調子なのである。

## 「延安整風運動」に倣って党内大粛清を展開する

習近平は延安視察において第7回党大会会場の旧跡も訪れた。ここでは「延安整風運動」に触れて次のように語った。

「中国共産党の第7回党大会は歴史的意味のある重要会議である。党はまず延安整風運動の展開を通して、毛沢東主席の旗印のもとで空前の統一と団結に達し、全面的勝利への道を切り開いた」

この延安整風運動とは、1942年から45年の第7回党大会開催までの約3年間、毛沢東の主導・指揮下で共産党党内で行われた大規模な粛清・洗脳教育運動のことである。整風運動のひとつが粛清で、毛沢東に不満を持っている人、考え方が違う人を粛清し排除したのだった。もうひとつは洗脳教育で、これによって毛沢東の絶対的権威を樹立した。こうした粛清と洗脳によって毛沢東と毛沢東思想の絶対的地位が確立された。毛沢東は中国共産党の唯一無二の独裁者となり、共産党を率いて内戦を勝ち抜き政権奪取に成功したのだった。

習近平が延安で延安整風運動を持ち出した政治的意味は何か。

昨年10月の党大会で反対勢力の李克強らを指導部から排除し、自らの個人独裁を強化した。だが、党内には依然として習の政治に不満・反発を持つ勢力が大量に存在しているため、党大会で改正された新しい党規約には「2つの確立」を盛り込むこともできなかったのだ。

2つの確立とは「党の核心としての習近平の地位の確立」と「国家的指導理念としての習近平思想の確立」を指している。2つの確立は自分を持ち上げてその絶対的独裁を明確にするためのスローガンである。

つまり党大会では勝利を収めたものの、依然として不満の残る大会であり、党内に反対勢力がまだ存在している以上、自分を頂点とした「党の空前の統一と団結」はいまだに完全達成されていない。

だから党大会直後に延安を視察して延安整風運動に言及したことは、これから毛沢東に倣《なら》って自分の「整風運動＝党内大粛清」を展開していく宣言であるとも理解できる。

さらに党大会で汚い権謀術数を弄して胡錦濤を愚弄し、李克強らを指導部から排除したことで**共青団派との関係修復はもはや不可能**となった。2つの派閥は完全に敵対関係になったのだ。中国共産党の党内抗争の鉄則からすれば、敵対関係になった以上、もう相手を徹底的に叩き潰す以外にはない。「毒を食らわば皿まで」ということで、これからは共青団派を党内から一掃するしかないのである。

また共青団派だけではなく、昔の江沢民派の残党も党から一掃したうえで、共産党全体が純粋な自分の陣営となるように政治浄化を完遂し、自分への忠誠心を前提とする共産党の空前の統一と団結を図る。

さらに、かつての毛沢東は自分を中心とした党の統一と団結を土台に、内戦を勝ち抜いて政権奪取という偉業を完遂した。それに倣って、習近平も異分子を粛清で完全排除し、自らの絶対的権威を確立した後、台湾併合の大業を達成する野望があると考えられる。

また台湾侵攻をすると、欧米から厳しい経済制裁を科せられる。それに対処するために「延安精神＝自力更生」を提唱したのである。自力更生の精神を発揚することで欧米世界の制裁を乗り越える。

党大会後の習近平の言動はすべて台湾侵攻につながっていく。党内を完全に統一するのは自分の権威樹立のためであると同時に、それを基盤にして台湾侵攻をするためなのである。

後述するように、軍人関連の政治局と中央軍事委員会人事が完全に戦時体制になっていることに照らし合わせてみると、今、政治・軍事・経済の多方面で台湾侵攻の準備が着々と進められているのである。

## 秘密警察トップが政権中枢に入る異常人事とその思惑

中国共産党の中央には中央政治局・政治局常務委員会がある。それが中国共産党の意思決定機関であるのに対し、「中央書記処」は総書記の下で政治局・政治局常務委員会の意思決定を執行・貫徹するための中枢機関なのである。

政治局・政治局常務委員会が党の「頭脳部分」であるならば、中央書記処はその「心臓部分」にあたると言える。政治局常務委員会の意思決定は、すべて中央書記処を通して実行に移されていく。

政治局員については従来も必ず警察のトップが1人はいた。ただし警察のトップで政治局員になるのはもともとの経歴は警察ではない人物だった。そういう人物はまず地方で勤めた後に警察のトップとして任命された。

ところが昨年10月の中国共産党大会後に政治局員になった警察のトップの陳文清はバリバリの警察出身だ。大学を卒業してからずっと警察一筋である。しかも中国の公安部（秘密警察）の部長を務めた人物であり、党の中央書記処にも入った。

党大会後に中央書記処でも人事の総入れ替えが行われた。中央書記処は7人体制でいろいろな仕事を担当している。今回、7人の中央書記処書記のうち警察・公安関係者は3人となった。これは**過去最多**である。

党大会前の中央書記処書記には警察・公安関係者は元公安部部長の郭声琨《かくせいこん》が1人いただけだった。彼はもともと警察出身ではなく地方で党委員会書記を務めた後に公安部部長に転任したのである。つまり党大会前の中央書記処には、正真正銘の警察や公安は1人もいなかったのだ。

今回、新中央書記処にプロの警察出身者3人が一斉に入ってきたのも、警察・公安関係者が過去最多というだけではなく政権史上前代未聞の大珍事なのである。

新中央書記処書記となった警察・公安関係者の顔ぶれは以下だ。

①**陳文清**：警察出身。四川省楽山市公安副局長・局長、四川省公安庁副庁長・庁長、国家安全部部長（公安部トップ）を歴任。中央書記処に就任すると同時に政治局員にも昇進した。公安部トップが政治局員になるのは史上初めてである。中央書記処書記となった一方、中央政法委員会書記にも就任した。公安だけでなく司法機関全般を管轄する立場となった。公安部出身者が中央公安・司法の頂点に立つ事態が生まれた。

②**王小洪**：警察出身。現公安部部長。福建省福州市公安局長、福建省公安庁副庁長、河南

省公安庁庁長、北京市公安局長、公安部副部長を歴任した。習近平腹心の1人である。

③**劉金国**：公安幹部出身。河北省秦皇島市公安局長、河北省公安庁副庁長、公安部副部長を歴任。

こうして警察・公安関係者3人が7人構成の党の中央書記処に一斉に入り、公安部の元トップが中国司法の頂点に立ったことは、党内大粛清と国内監視・統制強化のための人事であると考えられる。これから党内の大粛清と国民に対する監視・鎮圧はより一層厳しくなっていく。

言い換えれば、習政権は**警察の牛耳る政権**だということだ。きわめて危険である。暗黒時代の始まりになるのではないか。習政権の下では中国はますます恐ろしい「警察国家」となっていくだろう。

## 習近平に引き立てられてスピード出世した李強

2023年の全人代が3月5日から13日まで北京で開催された。そこで3月11日に共産党政治局常務委員の李強が習近平国家主席の推薦（中国語では提名）によって新しい国務院総理（日本なら首相）に選出されたのである。

習近平は2002年から2007年まで浙江省の共産党委員会書記、つまり省のトップを務めていたとき、当時、同省の温州市党委員会の書記だった李強を秘書長に抜擢した。

秘書長は党委員会書記に仕える立場で、日本の内閣なら官房長官の立場であり、党委員会書記の女房役である。習近平が浙江省で数年間、書記長をした後、2012年秋の中国共産党大会で習政権が成立すると、そこから李強のスピード出世が始まった。やはり習の引き立てでまず浙江省の行政トップである省長に抜擢され、次に隣りの江蘇省党委員会書記に抜擢となった。習政権の2期目には上海市の党委員会書記に就き、同時に政治局員にも昇進した。

習近平が中国共産党および中華人民共和国のトップになって以来、李強はずっと出世街道を走ってきたのだ。実力や業績、人望があるかどうかはどうでもいい。お気に入りの子分だからどんどん出世できた。昨年の党大会では政治局常務委員に昇進し、党内序列でも習に次ぐナンバー2になった。

李強がここまで出世できたのはとにかく運がよかったからだ。もし習が浙江省に赴任してこなかったら、今でも李強はせいぜい浙江省幹部の地位にすぎなかっただろう。

この李強には**3つの「最初」**がある。

中国共産党政権の歴代首相は周恩来にしても朱鎔基《しゅようき》にしても李克強にしてもそれなりの実力、業績、人望があって首相になった。ところが李強だけは実力、業績、人望などとはまったく関係なく、自分のボスの抜擢によって首相の座に駆け上がった。まず、その点において「最初」ということだ。

次に国家主席と首相との関係について言えば、従来はボスと子分ではなかった。例えば胡錦濤国家主席と温家宝首相も、江沢民国家主席と朱鎔基首相も、決してボスと子分ではなく、パートナーとしてお互いに協力し合う関係だった。

習近平国家主席と李克強首相の場合もボスと子分ではなく、李克強はむしろ反対勢力であって自主性を発揮した。

だが今回の国家主席と首相は、完全にボスと子分の関係だ。それも「最初」というわけなのである。

さらに1949年に中華人民共和国が建国されたとき、初代の首相となったのは周恩来だった。建国されたばかりだから、初代の首相がいきなり首相になるというのは起こりえる。しかし以後の首相は、すべて副首相を経験してから首相になってきた。副首相として中央政府の運営にある程度慣れてから首相になったということだ。

しかし李強は副首相を経験せず、ということは中央政府での仕事の経験がまったくなく、いきなり首相となった。初代首相の周恩来を除いて、副首相を経ないで首相になった「最初」の人物なのである。だから、そもそも1度も中央政府で仕事をしたことがない国政運営の未経験者であって手腕は未知数だ。

首相になる前、李強は上海の党委員会書記だった。では上海の党委員会書記としての仕事ぶりはどうだったかと言うと、ゼロコロナ政策の下に2ヵ月間ものロックダウンを強行し**上海をボロボロにした**のである。それは誰でも知っている。ボロボロにしたのだからとても〝業績〟と呼べるものではない。

要するに、李強の唯一にして最大の強みは、実力、業績、人望などではなく、独裁者に信頼され歓心を買っていることだ。裏を返すと、それは最大の弱みにもなりえる。信頼と歓心を失ったとたん、もうただの人になってしまい、何も残らなくなるだろう。

李強に首相としての自主性の発揮を期待するのは無理だ。いちいち国家主席の顔色をうかがうという存在であり、最大の役割も中央政府における**習政権の代理人**なのである。

## 国務院の独自性を潰して党中央の支配下に置く

国務院の常務会議は李克強首相の時代にも月1～2回のペースで定期的に行われていた。首相の李強の下で3月14日に国務院の副首相が全部入れ替わり、初めての国務院の常務会議が開かれた。これが李強首相の最初の仕事である。

この会議で決まったのは翌日の人民日報に掲載された公式発表によると、以下の2つだった。

ひとつは、国務院はこれからの主な仕事として全人代における習近平の重要講話の学習とその精神の貫徹を遂行していくということ。端的に言うと、国務院に絶対服従を求める。つまり李強の国務院での最初の仕事は、国務院の全員に対して**「お前たちも国家主席の子分になるべし」**と釘を差したことである。

もうひとつは当分の間、国務院全体に対して前述した2つの確立の重要な意味を深く理解させる仕事を行っていくことだ。

そのために国務院の常務会議では、国務院の工作規則（日本語だと業務遂行のガイドライン）を審議したうえで新たな工作規則を制定する。

新たな工作規則の狙いは、まさに党中央の権威と統一的指導に従うことを根本的な政治ルールの規則として確立することだ。なぜそれが必要かと言うと、今までの李克強首相の時代は、国務院は党中央の権威と指導に必ずしも従わなかった。だから、これからきちんと従うことを政治の規律として確立していくためである。しかも今後、国務院は業務のうえで党中央の政策決定に完全に従って、それを遂行することを旨とする。

李克強が首相だった時代には、国務院は共青団派の牙城となっていた。共青団派はいわゆる改革派でもあり、必ずしも党中央に従うのではなく、ある程度の自主性を発揮して国の運営に携わってきたのだった。

だから新しい首相として国務院に乗り込んできた李強は、まず国務院を引き締めることを通じて、今まで確保された国務院の独自性を全部潰して完全に党中央の支配下に置くというのである。言い換えれば、中央政府を独裁政治の従順なる道具に改造していく。

それがまさに**常務会議の出した方針の着眼点**なのである。

現実には国務院のやるべき仕事は、「経済をどうやって立て直すか」「国内でいろいろな不安が拡大しているなか、起こった白紙革命や白髪の乱（後述）をどう払拭していくか」など山積している。難題山積のなかで李強が最優先する仕事は、国務院の官僚たちのやる気を掻き立てて難題解決にあたるのではなく、国務院を引き締めて習近平化した機関にしていくことなのである。

結局、李強の首相としての最大の仕事は、国の運営ではなく独裁者の機嫌取り、あるいはその独裁のさらなる強化への貢献である。子分である李強の役目はそれ以上でもなければそれ以下でもない。

だが、そんな首相が上に立つなら、これから国務院はおそらく慢性的な機能不全に陥るだろう。機能不全というのは官僚たちのやる気がなくなってしまうということだ。

その結果、何でもかんでもとにかく指示に従えばいいのだし、仕事のうえでの自主性も柔軟性ももう持たなくてもいい。自主性も柔軟性も失って硬直化していく国務院の官僚たちは徐々に思考停止状態になっていくに違いない。

## 使い捨てにされてしまった習近平暴政の下手人たち

3月10日に中国で開催されていた政治の重要な会議は2つあった。ひとつが全人代で、3月10日に常務委員会の委員長、副委員長などの新しいメンバーを選出した。もうひとつが党と政府に対する助言機関である政協会議だ。主席、副主席からなる新しい指導部が選出された。

本来、全人代の副委員長や政協会議の副主席などの人事は大した話ではない。というのは共産党一党独裁の中国では、全人代にしても政協会議にしても党の御用機関にすぎないからである。だから、それらの副委員長、副主席は一種の名誉職にすぎない。全人代の副委員長や政協会議の副主席はおおむね、党と政府の高い地位で仕事をした幹部たちを現役引退後の老後の花道として処遇するポストなのだ。

ところが、3期目の習政権がスタートしてから異変が起こっている。香港の4代目の行政長官だった林鄭月娥《りんていげつが》に対する処遇がそうである。

香港では1997年に中国に返還されてからずっと中央政府がトップの行政長官を実際に決めてきた。しかも歴代の行政長官は退任後には、やはり中央政府の指名で政協会議の副主席に就任するのが慣例だった。香港の行政長官として中国のために汗をかいた者に対するご褒美として副主席のポストが与えられてきたのだ。

初代の行政長官の董建華《とうけんか》は退任後の2005年から2023年まで18年間、政協会議の副主席を務めた。3代目の梁振英《りょうしんえい》も退任後の2017年に政協会議の副主席に就任した。

現在も再任されて副主席のままである。

ただし2代目の曽蔭権《そういんけん》は政協会議の副主席になれなかった。行政長官の在任中に汚職で当時の香港の議会から弾劾されたためだ。まったく個人的な理由で政協会議の副主席になりそこなったので、中国の政権が意図したものではない。

ところが何の個人的な不祥事を起こしたわけでもないのに、政協会議の副主席になりそこねたのは4代目の林鄭月娥なのである。

彼女は昨年6月に行政長官を退任した。前例に従えば本来、彼女は今年3月の政協会議で副主席に選出されるはずだった。結果的にはそうならず、政協会議の副主席どころか、平委員のポストすら与えられなかったのである。

彼女こそは習政権の意向に従って、2021年に香港市民の抗議運動を封じ込める鎮圧に尽力した。だから何の処遇もされなかった彼女は、**習政権によって完全に使い捨てにされた**のである。

同様に使い捨てにされた共産党高官がもう1人いる。新疆ウイグル自治区の前党委員会書記であり、共産党政治局員だった陳全国《ちんせんこく》だ。この人物は、新疆ウイグル自治区でジェノサイドを実際に行った犯罪者にほかならない。

しかし前任者の張春賢《ちょうしゅんけん》は退任後に全人代の副委員長のポストを与えられたのに、陳全国にはそのポストが与えられなかった。政協会議の副主席にもなれなかった。

彼は2021年12月に新疆ウイグル自治区党委員会書記を突然解任された後、しばらくは共産党政治局員のポストに留まっていた。それが昨年10月の中国共産党大会で政治局からも離脱させられたのだった。新疆ウイグル自治区のジェノサイド政策に大きく貢献したのに**共産党のポストから完全に消されてしまったの**だ。習政権によって、やはり使い捨てにされたのである。

## 共産党幹部も理不尽な命令への服従を躊躇し始める

習政権に使い捨てにされた林鄭月娥と陳全国には共通点がある。2人とも自分の管轄する地域、すなわち香港と新疆ウイグル自治区で習政権の暴政の積極的な執行者となっていたということだ。

林鄭月娥が香港市民の抗議運動に対する鎮圧の責任者であり、陳全国は新疆ウイグル自治区のウイグル人たちに対するジェノサイドの実行犯だった。だが、まさに習政権のために汚い仕事、犯罪的な仕事を成功させたゆえに2人は使い捨ての対象になったのだ。汚い仕事や犯罪的な仕事をさせて、それが終わると、「お前たちはもう出て行け」と使い捨てにするのが習近平政治である。つまり自分で直接手を汚さないで、汚い仕事や犯罪的な仕事をさせた後にその部下の首を切る。これは**冷酷かつ卑怯なやり方**だ。

しかし、そんな使い捨ての冷酷な政治を中国共産党の幹部もみんな見ている。汚い仕事や犯罪的な仕事をやった結果、ご褒美をもらえるどころか逆に首を切られるとしたら、もうやっていられないというのが共産党幹部の気持ちのはずである。となると、これから共産党幹部には彼のために火中の栗を拾おうとする者はいなくなってしまうだろう。

とはいえ、なぜ彼がこの2人を使い捨てにしたのか。簡単な理由だ。この2人がアメリカから制裁を受けていたからである。

習近平は表向きにはアメリカに対して強い姿勢を示している。にもかかわらず、アメリカから制裁を受けた2人を使い捨てにして中国の政界から追放したということは、実際には本心ではやはりアメリカが怖いのである。

怖いから圧力を無視できず、アメリカから制裁を受けた者はできるだけ切ったほうがいいという判断になるのだ。

例えば陳全国が新疆ウイグル自治区党委員会書記を解任されたのは2021年12月25日だった。その3週間前にアメリカでウイグル強制労働防止法が成立した。この法律が成立した直後に陳全国は解任されたことになる。

要するに習政権が行っている香港人に対する人権抑圧やウイグル人に対するジェノサイドに対して、世界が声を上げて圧力をかけることは決して無駄にはならないということである。

使い捨てにされた林鄭月娥や陳全国の悲惨な運命を見ると、これからの共産党幹部たちも、習政権から汚い仕事や犯罪的な仕事をやるように命令されても躊躇するはずだ。その点で世界からの圧力は大いに効き目があると言えるだろう。

## 犯罪を行った民間経営者に法的優遇を与える政府の思惑

中国の海南省政府が3月24日に「民営経済発展をサポートする諸措置」という正式文書を交付して、民間経済の発展を推進するために民間企業や民間経営者に対する一連の優遇措置の方針を発表した。

この優遇措置にはよくあるように税制面も含まれる。ここで特異だったのが、もし民間経営者あるいは民間企業が何かの刑事事件、民事事件に関わっても、必要がなければ逮捕も起訴も実刑の言い渡しもしなくていい、という優遇措置が示されたことだ。

これには私もびっくりして、なにかの間違いではないのかとさまざまな公開情報を再確認したところ、やはり本当だった。政府当局がこれほど露骨にかつ公然と警察・司法に干渉して法の公正を曲げ、民間経営者たちに対する逮捕、起訴、実刑判決を行わなくてもいいと宣言するのは**一党独裁の中国でも前代未聞**だ。

中国は三権分立ではないから、海南省の警察も裁判所も海南省政府の配下で職員も公務員である。海南省政府が先の方針を示すと、部下である警察や裁判所の職員はそれに従うことになる。

一応、先の方針では逮捕する必要のない場合には逮捕しなくていい。しかし部下の立場では、それだとどういう場合に逮捕できるのか、あるいは逮捕しなくてもいいのか、という判断が非常にしにくい。結局、部下としては「～しなくてもいい」を選んだほうが自分の責任にならない可能性が高いため、殺人などよほど重大な犯罪でない限り、逮捕しないという判断になるはずである。同様に起訴もしないし、実刑判決も出さない。刑罰は起訴が前提なので、起訴しなければ実刑判決も関係なくなる。

となると今後、海南省の警察・司法はよほど重大な犯罪以外では民間経営者を逮捕したり起訴したりしなくなるだろう。万が一、起訴したとしても実刑判決が言い渡される恐れもほとんどなくなる。

よほど重大な犯罪ではない限り、なにをやっても起訴も逮捕もない。海南省は民間経営者にとって「犯罪天国」になるから、**犯罪をしたければ海南省に行け**ということになる。

そのうえ本当の民間経営者ではなくても、多少の資金を出して会社をひとつ登録すれば民間経営者になる。こうなれば、違法行為や犯罪行為もやりたい放題だ。逆に、他の地域で犯罪を起こした者も捕まる前に海南省に逃げて会社をつくれば、民間経営者になるから逮捕されなくなる。

このように**犯罪の免罪符を政府が出す**というのは、文革以来の異常事態である。文革では共産党政権が紅衛兵たちに免罪符を出した。それで紅衛兵は誰を殺してもかまわないということにもなったのだ。ただしこの海南省政府の方針が全国に広がっていくかどうかはまだわからない。

しかし確実に言えるのは、犯罪を行っても捕まったり処罰されたりしない状況にもなりえるのが**三権分立のない一党独裁国家の恐ろしさ**だということである。

## 独裁国家は罪を許したり被せたりを勝手にできる

国務院新聞弁公室（中央政府の広報担当部門）が3月28日に記者会見を開いて、今後ネット上の違法情報行為に対する取締りの特別行動を行うと発表した。その特別行動を担うのが特にネット上の情報を管理する「国家ネットと情報弁公室」だ。これも全国的に大きな影響を与ええる。

この特別行動の取締りの対象は、ネット上で民間経営者や民間企業の名誉を毀損《きそん》したりイメージダウンを図るような情報の発信や拡散である。だが、民間経営者や民間企業が名誉毀損を受けたら、本来なら当事者が法的措置を取って対処すべきだろう。

そうではなくて中央政府が政治権力を用いるとなると、実際に名誉毀損でなくても、あるいは正当な批判であったとしても、民間経営者や民間企業にとって不利な情報なら全部が特別行動の対象になってしまう恐れがある。現実化すると**まさにネット弾圧**である。

中国共産党政権は労働者階級の代弁者を自称してきた。しかし今回の特別行動で突然、労働者側でなくて民間経営者たちの番犬となったのだ。確かにこれまで中国共産党政権は言論弾圧はずっとやってきた。しかしそれはあくまでも政権を守るためだった。それが民間経営者のために言論活動を規制するというのは、**中国共産党政権史上前代未聞の奇観《きかん》**である。

背景にあるのは、習政権が昨年までアリババなどの大企業も含めて民間企業や民間経営者たちに対して理不尽な抑制政策を行ってきたことだ。それが3月に全人代が終わって一変したのだった。政府がネット弾圧までして民間経営者と民間企業をかばい、併せて法的優遇措置を与えたりするのだ。

そうなったのには、中国経済が崩壊に向かって失速しているために経済の崩壊を救いたい新首相の李強の思惑がある。それで理不尽な抑制政策に怒っている民間経営者たちを「ネット弾圧で守ってやるから」となだめて、経済の再生に協力してほしいということなのである。前述した海南省政府の方針の狙いも同じはずだ。

しかし、それこそが問題なのである。権力を使って機嫌を取ることができるなら、やはり権力を使って民間経営者たちを再び押さえつけることもできる。

海南省政府は、法律をまげてでも民間経営者たちに免罪符を与える。とすれば、政府の考えが変わったら、同じように法律をまげて民間経営者たちを恣意的に断罪することもできるのだ。つまり勝手に罪を免除することができるなら、逆に勝手に罪をつくって断罪することもできる。法律に独立性がなく、権力の意のままになるわけだ。

だが賢い民間経営者なら、そういうことは百も承知だ。中国共産党の甘言に簡単に騙されるはずがない。

きちんとした法治のない国ではやはり本当の市場経済は育たないので、経済の成長にも限界がある。この歴史の鉄則は中国についても例外ではない。

# 第4章

# 暗さしかない中国経済の前途

## 民間企業に対する収奪戦が始まる

昨年12月9日、中国最高人民検察院（最高検察庁）は、「贈賄案件に対する審理強化の指導意見」を発表した。中国の場合、その「指導意見」とは実質上、各検察機関に対する最高検からの指令である。

「指導意見」では、「収賄と贈賄を同列に取り締まることは、党中央が行った重要な政策決定であって、20回中国共産党大会の示した重要方針である」と述べたうえで、党中央の方針・政策に基づいて今後、「贈賄」に対する取締りを強化せよと訴えている。

今まで習政権の展開する反腐敗運動は主に共産党・政府の幹部を標的にし、いわば収賄側の摘発・懲罰に重点をおいてきた。したがって「党中央政策決定」と最高検の「指導意見」は、「反腐敗闘争」の焦点は今後、「贈賄側」の摘発・懲罰に移されていくだろう。

贈賄側と言えば、個人が幹部に贈賄する場合もある。だが贈賄せざるを得ない立場にあるのは、外資企業も含む民間企業であることも多い。中国では、地方政府がビジネス活動に対して数多くの許可権や認可権などの権限を持ち、土地・鉱産などの資源を独占している。だから、「親方共産党政権」の国有企業はいざ知らず、民間企業のほとんどはビジネスを展開するのに党・政府関係者に贈賄しなければならない。贈賄に対する取締りが強化されることとなると、一部の外資企業を含むほとんどの民間企業はその標的にされる可能性がある。

前述の「指導意見」は、さらに贈賄側の個人と企業に対する懲罰にも言及している。個人の場合は「財産刑」の適用が明言されていて、贈賄企業に対しては「贈賄によって得られた不当利益の追徴に力を入れるべきだ」とされている。

大問題は、企業の場合、「贈賄によって得る不当利益」をどう認定するのかである。恣意の拡大解釈によっては、企業がビジネス活動のために一度贈賄しただけで、利益全体が「不当な利益」だと認定されて追徴の対象になる恐れがある。個人に対する「財産刑」の適用にも同じ問題がある。

この「指導意見」の施行は地方へ下されていくと、直ちに富裕層の個人や民間企業に対する組織的な収奪戦の展開になりかねない。尖った視点からすれば、「指導意見」の登場は、まさにこのような「収奪戦」の展開を意図した「党中央の政策決定」の結果であるとも理解できよう。

その背景には、不動産バブルの崩壊と経済の沈没による中央と地方政府の深刻な財政難があるだろう。実際、中国財政部（財務省）は12月12日、7500億元（約14兆5700億円）の「2022年特別国債」の発行を決定した。07年以来4回目の特別国債の発行であるが、年末時点で年度の特別国債を発行するのは、いかにも「応急措置」の感がある。国家の財政がかなり切迫している。

こうした背景の下で始まった「贈賄取締り運動」なので、今後、深刻な財政難に見舞われる各級地方政府はまさに「贈賄摘発」を最強の武器にして、**民間企業・外資企業・富裕層に対して容赦のない収奪戦を展開していく**に違いない。

そうしたなか、日本の現地法人はどうなるのか。日本人管理層が中国流の贈賄に馴染まないとしても、パートナーである中国人社員がそれをやってしまう可能性があって、油断できるわけがない。この問題も含めて中国国内のビジネス環境は今後悪くなる一方だから、日本企業を含めた外資企業は中国からの撤退をより一層本気で考えるべきである。

## 著名経済学者が示した中国経済の暗い見通し

2023年の中国経済はどうなるのかについて、中国の著名経済学者が注目の論文を年明けに発表した。

論文の執筆者は任沢平《にんたくへい》である。中国人民大学で経済学博士を取得し、中央政府のシンクタンクである国務院発展研究センターでマクロ研究室主任を務めた経歴を持っている。今は中国民営経済研究会副会長だ。

論文のタイトルはずばり、「2023年の経済情勢は盲目的に楽観視すべきではない」である。

論文はまず昨年第4四半期の経済情勢について、「生産活動と（国内）需要が低迷し、外需の減少により輸出が大幅に下落した。不動産販売は不振だ」と回顧したうえ、昨年の**経済成長率はおよそ2・7%に止まるだろう**との見解を示した。

今年の経済情勢については、「2023年の経済情勢の厳しさに対して十分なる認識を持つべきであって、盲目的に楽観視できない」と警告する。一方で「ゼロコロナ政策をやめて開放に踏み切れば消費も経済も直ちに回復できると思ってはならない」とも指摘している。

論文はさらに2023年の中国経済が直面する「6つの挑戦（困難・試練）」を羅列して分析を行った。以下である。

①コロナウイルスの感染拡大は簡単に収束しない。世界的に見ても感染拡大にはいくつかの波があってそう簡単に収束できない。
②世界経済全体が深刻な衰退期に入り、中国の輸出に与える打撃は大きい。
③民営企業家は「信心不足」、つまり、未来に対する明るい期待や見通しを持たない。
④不動産市場はすでに周期的衰退期に入ったので、市場の回復は楽観視できない。
⑤雇用情勢は厳しく、国民が「予防的な貯蓄」に走るので、消費の回復は期待できない。
⑥地方財政が悪化するなかで、地方政府による公共事業投資の拡大は望めない。

以上の「6つの挑戦」のうち、③と④が特に重要である。

鄧小平時代以来の改革開放路線に背を向けて毛沢東流の「文革路線」に逆戻りする習政権の政治は、ここ数年間、**「このままでは文革の悪夢が再来するのではないか」**との危惧を民間企業家たちに抱かせた。そのため投資拡大や生産拡大に対する彼らの意欲を、ほぼ完全に失わせたのだ。中国のGDP（国内総生産）の7割以上を生み出している民間企業が萎縮するなら、中国経済が立ち直れるわけはない。

不動産市場の低迷も深刻な問題だ。2020年までの十数年間、中国の不動産開発投資では波及効果も含めてGDPの約3割をつくり出した。だが昨年からは、不動産市場の衰

## 実質GDP成長率（前期比年率）

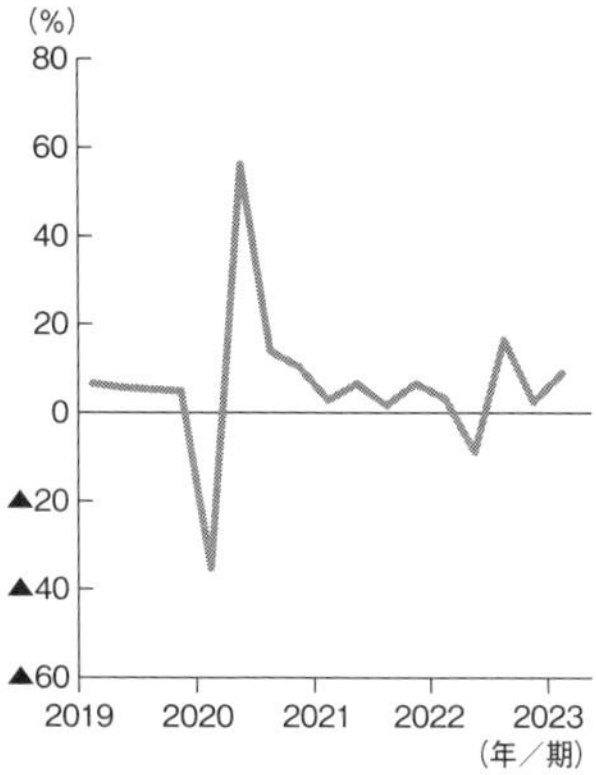


（資料）国家統計局
（注）発表された前期比伸び率を年率換算。

## 工業生産（前年比）

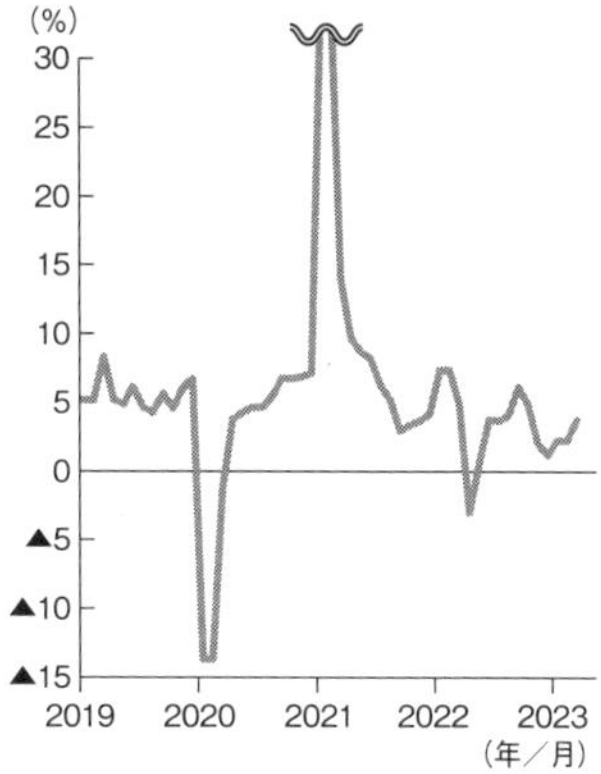


（資料）国家統計局

## 消費・投資関連指標（前年比）

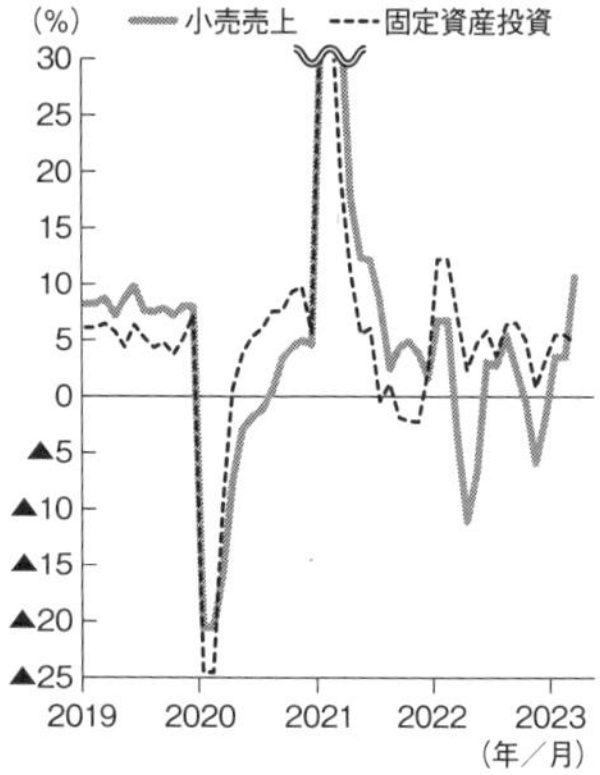


（資料）国家統計局、CEIC

## 政策金利と預金準備率

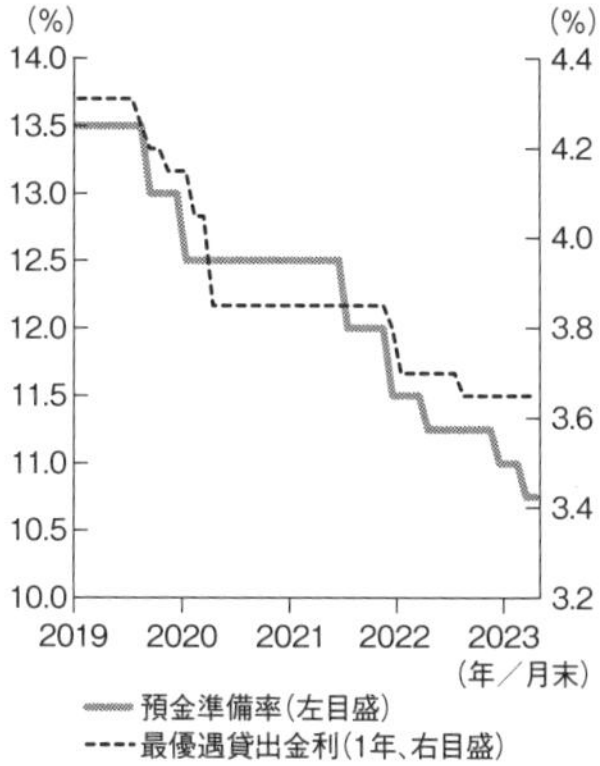


（資料）中国人民銀行、CEIC
（注）預金準備率は大手銀行の数値。

退が始まり（上位100社の開発業者の売上高は4割減）、今年も低迷が続くだろうと予想されている。となると当然、不動産開発投資は大幅に減少することになるので、経済の大減速も避けられない。

まさに任論文が示唆したように、**今年の中国経済の見通しはかなり暗い**ものとなるだろう。そのなかで社会的不安がますます高まり、中国の社会全体もかなりの混乱期に入っていくのではないか。

## 経済成長の維持ではなく経済危機をどう防ぐかが課題

2月16日の人民日報では1面で同じ日に発行された中国共産党中央委員会機関誌の求是に掲載した習近平寄稿の概要を紹介している。寄稿のタイトルは「当面の経済工作のいくつかの重要問題」だ。昨年12月15日開催の「中央経済工作会議」で行った講話の一部を再構成したものである。

日本語と同様、中国語のニュアンスでは「重大問題」という用語は、問題の深刻さに対する認識が暗に含まれている。習近平が中国経済に関して重大問題という言葉を用いたのは、初めてのことだった。

寄稿のなかで彼は「需要の全体的不足は、当面の経済運行が直面する突出した問題」と述べ、さらに「**不動産危機**（中国語原文では「危機」は「風険」）」「**金融危機**（風険）」「**地方債務危機**（風険）」の三大危機（風険）にも言及している。そして、これらの三大危機の「系統的な発生」を防ぐことが経済運営の「底線（最低ライン）」としている。

経済にうとい習近平でさえ、ようやく中国経済の抱える諸問題の深刻さを理解したのかもしれない。経済運営の目標をもはや成長の維持ではなく、金融危機を含めた経済危機の「系統的な発生」を防ぐことに定めているからだ。また、そのこととは逆に中国経済が今どれほど深刻な状況にあるのかを示している。

## 数字から切り込む中国経済の危うい現状と今後

中国国家統計局は1月17日、昨年の中国経済に関する詳細な数字を公表した。一連の数字を総合的にとらえて分析していくと、昨年の中国経済の全体像をそれなりに浮かび上がらせることができる。

まずＧＤＰは１２１兆２０７億元。２０２１年と比べて成長率は３％だった。これは昨年３月に中国政府が定めた「成長率５・５％」の数値目標を大きく下回っている。しかも数字に水増しがあったとしても史上２番目の低水準だ。いちばん低かったのは２０２０年で２・３％だった。

消費では社会消費財小売総額は43兆９７３３億元で、２０２１年と比べると０・２％減のマイナス成長となり、消費も縮小している。

そもそも中国の消費がＧＤＰ全体に占める割合は37％前後と非常に低い。先進諸国の消費の割合は経済全体の６～７割を占めている。国民14億人の中国の消費割合がＧＤＰの37％程度とは、裏を返すと中国経済の６割以上は国民の消費に回されていないということだ。このように長年の消費不足がずっと中国経済のネックとなってきた。昨年の消費がさらに萎縮しているのは中国経済にとっても一大事である。

では何が伸びているのか。ひとつ大きく伸びているのは輸出で、輸出は23兆９６５４億元となり、２０２１年と比べて10・５％増だった。投資と並んで輸出は依然として中国の経済成長を引っ張る原動力のひとつである。

ただし一方では昨年の秋（第４四半期）から中国の輸出にも異変が起きている。中国税関総署の発表では、昨年10月の輸出の総額（ドル建て）は２０２１年の10月と比べると２９８３億７０００万ドルで０・３％減となった。昨年11月の輸出は２０２１年の11月と比べると２９６０億９０００万ドルで８・７％減である。12月の輸出総額は、２０２１年の12月と比べると、９・９％減となった。３ヵ月連続のマイナス成長で、マイナス幅も拡大している。

１月もおそらく同じような状況であると思う。輸出が約10％増だった昨年は中国経済を大きく引っ張った。それが昨年の第４四半期から勢いを失ってマイナス成長に転じた。この傾向はおそらく今後も続くだろう。

さらにこれから欧米の経済も衰退し、中国からサプライチェーンも出ていくため、今年の中国の輸出は昨年のマイナス成長が続くだろう。実際、昨年秋から中国経済は輸出という成長の原動力を失いつつある。

では、もうひとつ中国経済を引っ張ってきた固定資産投資はどうか。昨年の固定資産投資総額は57兆２１３８億元で、２０２１年と比べると5・１％増となった。GDPに占める投資の割合は47％以上を記録し、消費と輸出を大きく上回った。中国経済の固定資産投資頼りの構図が鮮明になっている。そのなかでいちばん成長したのはインフラ投資（公共事業投資など）で、伸び率は9・4％増だった。

こう見ると昨年の中国経済を支えたのは**政府主導のインフラ投資**である。ただしこのインフラ投資は借金負債のうえに成り立つ。つまり、政府がお金を借りて投資をすることで成長を維持したのだ。

固定資産投資のなかで昨年いちばんの**マイナス成長となったのは不動産開発投資**だった。

中国国家統計局が公表した1月17日の数字では、2021年と比べると、不動産開発投資は10％減となった。減ってしまったのは不動産が売れなくなったためだ。

中国国家統計局が公表した数字によると、全国商品房（住宅）販売面積は24・3％減、売上総額は26・7％減となり、販売面積も売上総額も約4分の1減少した。そのなかで開発投資も大幅に減少してしまった。

**固定資産投資（前年比）**

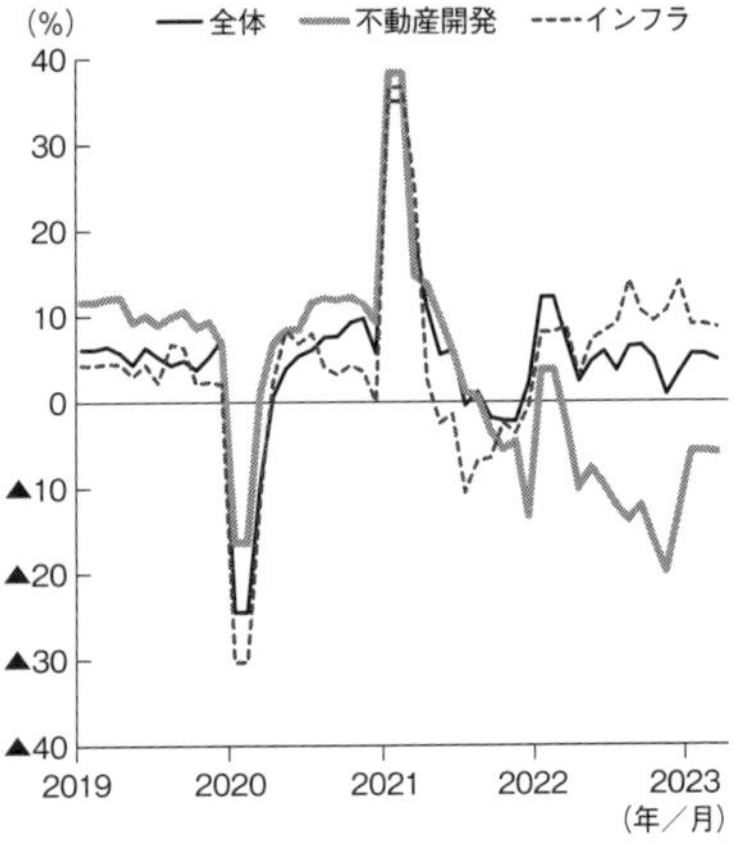


（資料）国家統計局、CEIC

不動産が昔のように売れなくなり、不動産開発投資も10％減少してしまい、昨年1年間の不動産市場は崩壊している最中である。

しかし不動産開発業は昨年の場合、中国経済の14％以上をつくり出し、事実上中国経済の3割をつくり出している。中国経済の「支柱産業」と呼ばれる不動産開発業が10％減となると、不動産市場・開発業の衰退は経済への打撃は大きい。

中国経済は、消費低迷（マイナス成長）と不動産開発投資大幅減のなか、輸出拡大と政府主導のインフラ投資の拡大によって、かろうじて3％程度の低成長をなんとか確保できた。世界経済の不振とサプライチェーンの中国からの移転などで輸出の大幅減は長期的な趨勢《すうせい》となり、不動産投資の萎縮はさらに加速するだろう。2023年の中国経済はより一層衰退すると思われる。

## 全国に56億人分の住宅が現存すると国務院が仰天発表!?

中国国務院の第1回全国自然災害総合リスク調査弁公室は2月15日、記者会見を行った。そこで弁公室主任の鄭国光《ていこっこう》が第1回目全国自然災害総合リスク調査の完了を宣言した。併せて調査の結果についても詳しく説明した。

ところが、そのなかで鄭国光は次のような情報も発信してしまったのである。すなわち、「我々は住宅建設業界を通して全国6億棟近くの建物（房屋）と約80万ヵ所の施設に関するデータを入手した」。この一言は自然災害調査とまったく関係のないところで全国的に大変な注目を集めることになった。

今まで中国国内では一般的認識としてはみんな、不動産住宅を建てすぎてどこでも余っていると思っていた。とはいえ政府は一切統計数字を発表してこなかったため、誰も全体像がわからず、実際にどれくらいの住宅があるのかは多くの国民の関心の的となってきた。

それで一部の経済学者や研究機関の研究者などが出した「全国にすでに34億人分の住宅ができ上がっている」という話がひとり歩きしている状況でもあった。もちろん34億人分というのはあくまでも推定の数字であって、政府の公式発表ではない。

だから今回、国務院の官僚が公式の記者会見の場で「全国に6億棟の建物がある」と発言したことは中国全土に非常に大きな波紋を呼ぶこととなった。中国の多くの新聞が「6億棟の建物」を見出しにしたものだ。なかには「6億棟の建物が人々を震撼させる」と書いた新聞もあった。

「6億棟の建物」は国務院の官僚の発言だから当然、政府の公式発表の数字だと見なされる。しかも、その数字に基づいて全国にどれくらいの住宅があるのかが計算によって推定できるのである。私も計算してみた。

建物というのは、日本でもそうであるように、住宅系の建物と事務所系の建物の2種類に分類される。この2種類が占める割合は日本の場合、住宅系建物の比率で約80％である。それを中国に当てはめてみると、「6億棟の建物」のうち4億8000万棟が住宅系となる。

この4億8000万棟の大半は一戸建ての家（特に農村）だから、マンションなどの集合住宅の割合を10％と見積もる（この数字は慎重に低めにしている）。とすれば、中国の集合住宅の数は4800万棟となる。

1棟の集合住宅の戸数はさまざまで少なければ10戸以下、多ければ百数十戸もあるが、極力少なめに計算して平均戸数を30戸にする。その結果、中国全国には今、14億4000万戸の集合住宅がすでにでき上がっている、という衝撃的な数字が出てくる。

住宅全体の約9割を占めている推定4億3200万戸の一戸建て住宅を足して計算すると、全国で18億7200万戸以上の住宅が現存することになる。戸数だけでも総人口をはるかに上回っている。1人で住むわけではなくても、今の中国は核家族であるから、3人で1戸に住むと考えると、約56億1600万人分の住宅が今の中国にあるという計算になる。これは**総人口の4倍**くらいだ。

このような数字が現実にあり得るかどうかは疑う余地もある。実際の住宅戸数はそれより少なかったとしても、中国の住宅はすでに世界史上前代未聞の深刻な過剰状態であることが明々白々だ。これほどの不動産ができ上がってしまうと、当然ながら今後、住宅が売れなくなって価格の下落も不動産市場の衰退ももはや避けられない。

実際、昨年から今年1月にかけて**中国全体の住宅販売件数が激減**している。それで不動産開発業者と各地方政府は今、市場の回復に最後の望みをかけて、例えば不動産を買うときに不動産ローンを100歳まで組むことができるようにしたり、頭金を一切取らないようにしたりするなどさまざまな刺激策を展開している。

この肝心な時期に国務院高官による「6億棟の建物がある」発言は、結果的に不動産市場に大きな衝撃を与えた。投資的・投機的な不動産買いに歯止めをかけ、不動産市場の「止めの一撃」となるだろう。不動産市場は一気に崩壊へと向かってしまうかもしれない。

ではどうしてこの時期にこの発言が出たのか。何気なく言ったのか、不用意に言ったのかわからない。

だが、ひとつの可能性として考えられるのは、李克強首相と進退をともにする国務院官僚の鄭国光による**「悪意の置き土産」**の可能性がある。3月の全人代で国務院人事の大刷新が行われる目前に鄭国光が不動産市場を潰す気かと思われるような衝撃的な数字を公表したという見方もできるのだ。

いずれにせよ、それによって全人代で誕生する習近平の子分が牛耳る中央政府は、不動産市場の崩壊による経済破綻のリスクに直面しなければならない。

56億人分の住宅というのが実際よりも多いとしても、今の中国の不動産市場においては非常に多くの住宅が余っているのは確実だ。中国の不動産市場は衰退する以外にはないだろう。

**住宅価格と価格下落都市数**

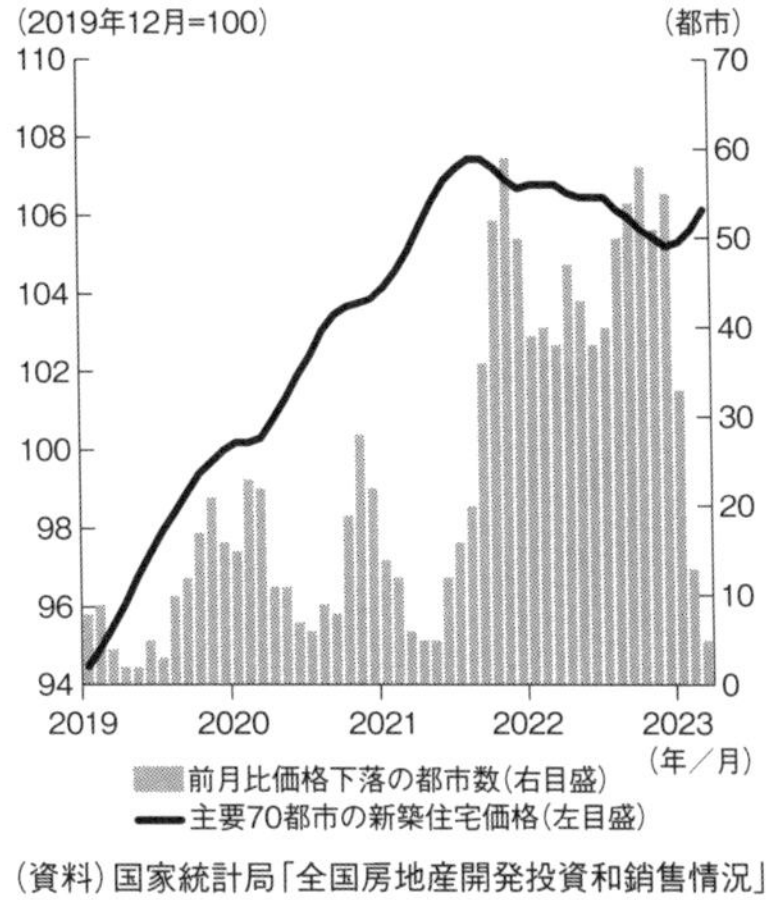


(資料)国家統計局「全国房地産開発投資和銷售情況」

## 大不況の悲惨な現場によって崩れていく共産党政権の足元

中国国内で経済が深刻な不況に陥っていることを実感させるような2つのネット上の情報が2月末から3月の初めにかけて全国の注目を集めた。

中国内陸部の広東省東莞《とうかん》市はいろいろな加工産業の企業や外国企業が集まっていて、東莞そのものが世界の工場というような感じだ。その東莞に出稼ぎにやって来た若者たちが市内のある工場の工員募集(アルバイト募集)の現場の映像をスマホを使って撮影してネット上にアップした。2月27日のことだ。

現場の映像というのは、工員募集で大量に集まった応募者たちに工場側が9元という時給を提示している場面である。時給9元というのは現在の為替レートだと日本円で180円未満にすぎない。世界の工場となっている東莞市は、これまでの時給はいちばん末端の工員でもだいたい20元~30元、なかには40元ももらっている工員もいたかもしれない。

その時給が今や3分の1以下まで下がってしまった。180円未満の時給というのは日本ではもちろんのこと、東莞でもやはり**びっくりするような安さ**なのである。

もうひとつは3月1日。今度は江蘇省南京市での出来事がネット上で大きな話題となった。南京市内のある大学が、図書館管理員（日本で言う司書）２人を手取り１８００元（日本円換算で約3万５０００円）で募集したら、大学卒業した人々を中心に２０００人以上もの応募が殺到したのだった。

あまりに低賃金なので地元紙の揚子晩報が大学に問い合わせたところ、事実だと判明した。南京での１８００元は若者の１人暮らしでもやっていけないほどの安月給だ。まして や家族を養うことなどできない。しかしこんな安月給の仕事でも２人の募集で２０００人もの応募があったのが驚きなのである。そこに今の経済状況、雇用状況が非常に悪くなっていることが如実に表れている。

しかも東莞と南京の両方とも中国で経済の発達している地域であって、いわゆる中国の繁栄の中心地帯だ。東莞や南京がこのような雇用状況であれば、貴州や四川省などの広大な内陸部がどういう状況になっているのか推して知るべしだ。

現場での映像や個別の案件だけでなく、中国政府が発表したいくつかの数字からも、やはり**中国経済が大変な不況に陥っている**ことがよくわかる。

中国の自動車流通協会が2月9日に発表した今年1月の中国全体の乗用車の販売台数は１２９万台余りだった。しかしそれは前年同月と比べれば37・９％減である。さらに昨年

12月と比べると40・4％減だった。販売台数がいきなり4割近く減るのは、誰から見ても断崖絶壁からの転落と言うしかない。

さらに不動産市場に関しては2月15日、克而瑞研究センターが発表したところでは今年1月において、北京、上海、南京、広州、深圳などの30の重点都市の不動産物件の契約件数がやはり12月と比べて41％減だった。中国の不動産市場の崩壊は今年に入ってからもやはり加速化している状況だ。

もうひとつ、中国経済を支えてきた輸出に関して言えば、中国の税関総署が発表したところでは昨年12月の中国の対外内輸出総額はドル建てで3060億ドル程度だった。それは前年同月の2021年12月と比べて9・9％減だ。それは10月、11月に引き続いて3ヵ月間連続の減少でもある。

本来なら2月中旬に今年1月の輸出を発表する。ところが、2月中には税関総署はもう一切1月の数字を発表しなくなってしまった。なぜかと言うと、簡単な話だ。輸出の数字は相手の国があるため、中国側が一方的に粉飾することも捏造することも難しいからだ。

捏造しにくいならば、いっそのこと発表しなくてもいいということになったのだ。捏造できるなら場合によっては捏造の数字を出す。それがやりにくいならば発表するのをやめる。しかし逆に発表がなくなったことで、中国の1月の輸出は昨年12月よりもさらに悪くなっているのではないかという推測が成り立つのである。

中国全体の本当の数字はわからないとしても**香港の数字はわかる**。香港の輸出は今年1月には輸出は36・7％減だった。しかも香港の輸出は中国本土の輸出と無関係ではないどころか、深い関係がある。中国本土の多くの輸出はいったん香港を経由し、香港に輸出した形で、さらに香港の商社から世界全体へと輸出するというケースがけっこうあるからだ。

香港の輸出が今年1月にこれほど減っていることからも、やはり中国の本当の輸出のマイナス幅も昨年12月よりさらに拡大しているのはほぼ確実である。

## 景気が悪くなって経済の崩壊が進み失業も拡大

中国経済が深刻な状況になっていることは数字からもよくわかる。それで車も売れないし不動産も売れなくなり、輸出も落ち込んでいる。中国経済を引っ張ってきたものが全部ダメになってしまった。

そのような経済状況のなか、政府の財政難も深刻だ。次のような前代未聞の出来事が2

月に起きたのである。ひとつは、広西チワン族自治区の中心都市である南寧市の供電局（電気を供給する局）が同自治区の公安庁（日本で言えば自治区の警察本部）に送った1通の通告書を誰かがネット上に晒して大きな話題になったことである。

通告書は、公安庁が電気代約48万3000元（日本円で約936万円）を滞納したため、その支払を催促するとともに、もし支払わないならば2月27日をもって電気の供給を止めるという内容である。この通告書には、南寧市の供電局の印鑑もちゃんと押されている。

もうひとつは2月28日、上海に近い江蘇省鎮江市の税務局の看板が掲げられている建物の玄関口で税務局の局員と称する数十人の人々が「給料を払え」というプラカードを掲げて、未払いの給料の即時支払いを求めるデモを行ったことだ。この映像もやはりネットで全国に拡散された。これもやはり、本物の税務局の建物で起こった本物の税務局局員による本物のデモだった。

中国の場合、地方の警察や地方の税務局でも国家公務員と地方公務員という区別がなく、みんな国家公務員である。彼らの給料は本来、国家財政によって一律に支給され、その基準も全部決まっている。どこの警察も税務局も同じだ。しかも中国共産党の体制のなかで公安局や税務局というのは、いちばん大事にされているところなのである。

だが、それでも電気代を払えないとか、職員が給料をもらえないということが実際に起きたのだから、やはり国家財政そのものが深刻な危機に陥っていることがよくわかる。数字の面でも3月1日に中国財務省の劉昆《りゅうこん》という部長（大臣）が記者会見で発表したところによると昨年の国家の財政赤字は6兆元だった。これは日本円なら約116兆円だ。日本政府が計上した今年の予算は過去最大の約114兆円なので、中国の財政赤字は日本の国家予算より多いということになる。

それほどの赤字が生じたのも**税収が大幅に減っている**からだ。経済がダメになったら、当然、税収も減る。問題はそこからで、税金が減って警察と税務局が機能しなくなると共産党政権は存続できない。

政権を支えるいちばんの胴体である警察も税務局も予算不足に悩まされて給料が払えないわ、電気代が払えないわということになると、当然、彼らの人心は不穏になって仕事に対する怠慢も生じてきて、やる気もなくなって、効率も悪くなる。いろいろな問題が生じてくる。

さらにそういう状況が長く続けば、習政権そのものに対する警察官僚とか税務官僚たちの求心力が弱まるので政権の足元そのものが大きく揺らぎ始めるだろう。

これからも経済が悪くなって財政の崩壊が進み、失業も拡大する。当然、社会不安も高まってあちこちで騒乱や抵抗運動がますます多発するようになる。しかし警察がやる気をなくしていたら、混乱は拡大していく一方となることが予測されるのである。

## 中国の財政部が発表した数字が示す中国経済の絶体絶命

3月17日に中国の国務院財政部（日本で言えば財務省）が今年1月と2月の2ヵ月間の国家財政収入に関する一連の数字を財政部の公式サイトで公表した。

それによると、1月と2月全体の財政収入は3兆9412億元（日本円で約76兆4800億円）で、前年同月と比べれば3・4％減となった。財政収入の一部の税外収入は逆に15・5％も増えた。にもかかわらず**財政収入が減っている**のである。財政収入全体が減った最大の理由は、税収が大幅に減ったからだ。

税収の大幅減はこの時期における中国経済の急速な悪化を端的に示している。経済状況が悪くなって税収が減ったことで問題となるのは、いくつかの項目で税収が激減したことである。

例えば消費税は、前年同期比で18・4%も減ってしまった。マイナス幅がけっこう大きい。ただし中国の消費税は、主に酒、たばこ、宝石などの贅沢品に課せられる税金だ。したがってこの税の大幅減は、富裕層や中産階級の消費意欲の低下を意味する。

さらに驚くべきことは、中国で自動車を買ったときに払う車両購置税も前年同期比32・8%減となったことだ。3割以上も減ってしまった。

中国政府は昨年、自動車消費の刺激策として車両購置税の大幅減税を行った。しかし大幅減税の実施期間は昨年末までだった。今年の1月と2月における車両購置税の激減は単純に自動車の販売が急落している結果でしかない。自動車が売れなくなって車両購置税も激減したのだ。

中国自動車流通協会が2月9日に発表した数字では今年1月の中国全国の乗用車販売台数は前年同期比37・9%減。昨年12月と比べれば40・4%減だ。**自動車市場の崩れ方は激しい**。中国経済が深刻な冷え込みとなっており、国民にお金がないから車を買わなくなってしまった。

自動車販売が大きく減ったことは、現状の中国経済の深刻さを示すだけではなく、今後の経済のさらなる悪化の予告となっている。というのは、車が以前のように売れなくなって販売台数が数十%も減ってしまったら、自動車メーカーも当然、減産体制に入るからだ。どの自動車メーカーも減産すれば自動車産業全体が萎縮する。

自動車産業は裾野が非常に広い。1台の自動車をつくるのに何万点もの部品が必要だ。自動車産業が萎縮すると、関連する部品産業もダメになる。**自動車産業の萎縮が中国経済に与える打撃は非常に大きい**。

さらに関税の数字もある。今年1月と2月の関税収入もやはり前年同期比で27%減、約3割減となった。関税がこれほど減っているのは、中国の対外輸出も海外からの輸入もかなり冷え込んでいるからだ。

株を売買するたびに払う証券交易印紙税も1月と2月は昨年同期比61・7%減だった。これでは株売買は急速に落ち込んで、**中国の証券市場がほとんど死に体**になっているのがわかるのである。

**上海総合株価指数**

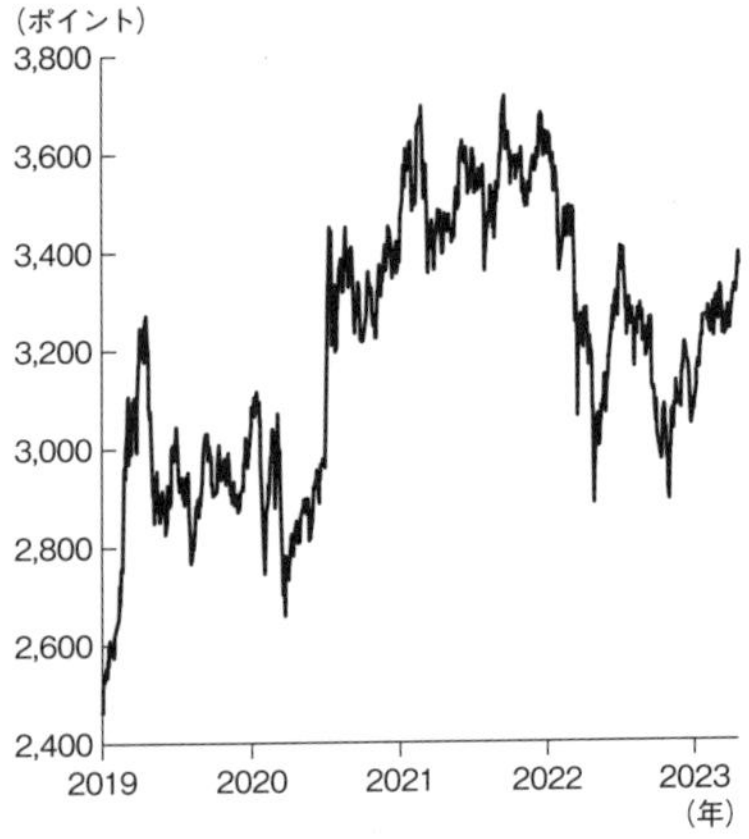


(資料) 上海証券取引所

## 李強には好都合の財政部発表の1月と2月の悪い数字

中国の国家財政の税外収入では国有地使用権譲渡収入が大きい。これも1月と2月の前年同期と比べれば29％減、約3割減だ。不動産開発業者が不動産をつくるにあたって、まず政府から国有地の使用権を譲渡してもらい、そのための譲渡金を払う。業者たちが払った譲渡金が国にとっての国有地使用権譲渡収入になるのだ。

この収入の3割減が意味するのは、これから特に地方政府の財政難がより深刻化するということだ。その一方、譲渡収入の大きな減少は当然、業者たちが払った土地譲渡金も減ってしまった。その意味するところはすなわち、業者たちの取得する土地の量も大幅に減ったということだ。土地を手に入れないと不動産投資ができない以上、今後も業者たちが行う不動産投資も大幅に減っていくことになる。

不動産投資はその波及効果も含めて中国経済の約3割程度をつくり出しているので、不動産投資が大幅に減少すると中国経済の被る損失の大きさは計り知れなくなる。

財政部が公表した一連の数字をまとめると、中国経済は、自動車消費を中心とした高額の消費が急速に萎んでいるし、輸出も大きく落ち込み、証券市場も死に体化している。中国経済の約3割をつくり出してきた不動産投資という大黒柱も今や傾いている。中国経済がまさに絶体絶命の状況にあるのはまず間違いない。

視点を変えると、ではどうして財政部は中国経済の深刻さを示す数字を正直に発表したのだろうか。中国の統計局は数字を発表したら、もうそれで仕事が終わるのだ。しかし財政部は違う。財政部は税収を発表しても、今回、税収に基づいて予算を組まなければならない。自分たちの出した財政収入の数字に対して自分たちが責任を負う必要がある。

その場合、税収に対してあまりにも水増しをやりすぎると、どうやって予算を組めるのかという話になる。それで統計局よりも財政部のほうが正直にならざるを得ないのである。

新任の首相の李強にとっては、財政部から1月と2月の悪い数字が正直に発表されたのは**決して都合の悪いことではない**。1月と2月に首相だったのは前首相の李克強だ。3月から首相になった李強からすると、今後、経済がより一層悪くなったら李克強の責任にできるし、逆にもし3月から数字が多少でもよくなったら自分の手柄になる。

また、財政部が悪い数字を出したことで、我々の中国経済の実体に対する認識もより深まった。だから今後、中国経済が多少上がったり下がったりしても、全体としては悪化の一途をたどっていくことがわかる。中国経済はもう終焉を迎えているのではないだろうか。

第5章

# 中国国民を襲う社会問題

## 驚異的なスピードで進む中国の出生数の減少

中国国家統計局の1月17日の発表では、昨年の人口は14億1175万人で前年比85万人減となり61年ぶりの減少となった。昨年の出生数も956万人と前年より106万人減少し建国以来最少だった。

61年前の1961年は毛沢東大躍進運動の失敗により、60年～62年までの数年間、大飢饉が起きた。大飢饉のなかで餓死する人が多く、人口も大幅に減少した。

昨年は大飢饉が起きたわけではないのに、なぜ人口が減少したのかと言えば、亡くなった人が大幅に増えたのではなく出生数が大幅に減少したからだ。

2015年～2022年の中国の出生数の推移を見ると驚く。2015年の出生数は1665万人だった。

実は2010年までは、一人っ子政策が実施されていた最中であっても毎年2000万人以上生まれていた。しかし2015年になると1665万人へと減少した。そのため2015年10月、中国政府は「第2子容認」の政策を持ち出して一人っ子政策をやめたのである。これには多少の政策効果はあり、2016年の新生児数は前年より121万人増えて１７８６万人へと回復した。

だが２０１７年には、また減少傾向に転じ１７２５万人となった。さらに２０１８年は前年より２００万人以上少ない１５２３万人、２０１９年は１４６５万人、２０２０年は１２００万人、２０２１年に１０６２万人と年を追うごとにどんどん減っていった。

これに驚いた中国政府は２０２１年５月、「第３子容認」の政策を打ち出した。だが、それに効果がなく、２０２２年の出生数はついに１０００万人を切って９５６万人にまで減少したのだ。

つまり、「第２子容認」「第３子容認」という政策を打ち出したのに、２０１６年から２０２２年までの７年間の出生数は47％減とな

**中国の総人口と前年比の推移**

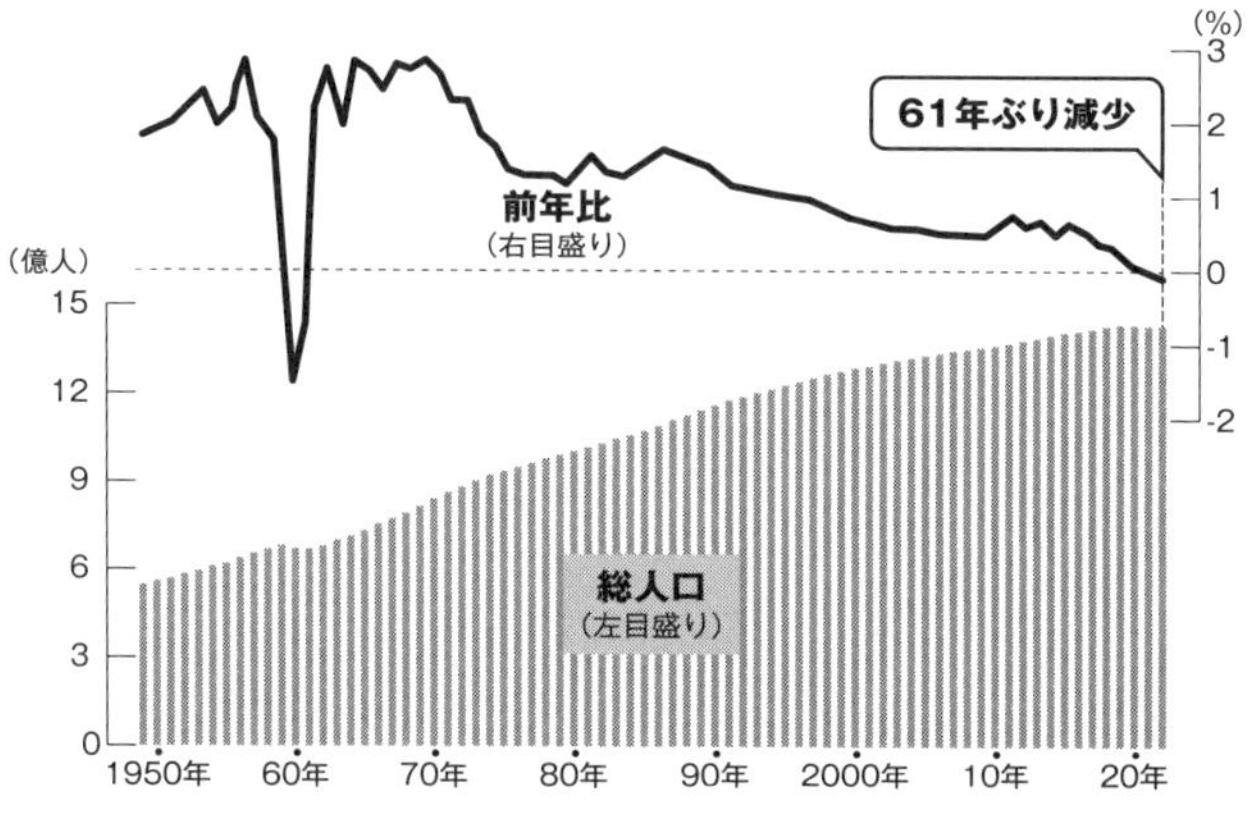


中国国家統計局調べ

った。7年間で生まれてくる赤ちゃんの数が約半分にまで減少したのだ。これは戦争のない時代においては**驚異の減少スピード**である。

確かに日本も少子化のために年々出生数が落ちてきている。1979年には164・2万人だった出生数は2021年には81・1万人にまで半減してしまった。ただし42年間もかかったのだから、それをわずか7年間で達成してしまった中国のほうは前代未聞の驚異的な激減となっている。中国と比べると日本の減少のスピードははるかに遅いのである。

## 「民族の復興」を頓挫させる人口構造の逆ピラミッド化

では異常な出生数の激減の背景には何があるのか。そこには、前述したように「一人っ子政策」を廃止したので政策上の制限ではなく、もっと深層的な経済的・社会的原因があることがわかる。

中国国内の専門家たちは出生数激減の原因について次のようなことを挙げている。

①晩婚と結婚率の低減
②生活様式・人生観の多様化による生育意識の低減

③教育費などの「子育てコスト」の高騰
④住宅コストの高騰
⑤若年層失業率の高さ

これらのなかで他の国と違うのが住宅コストの高騰である。中国には男性がマンションなど自分の家を持たないと結婚できないという変な風潮がある。不動産価格が高騰すると自分の家が買えなくなって結婚もできないことが影響している。

もうひとつは、若年層失業率の高さだ。政府が公表しているだけでも、昨年の第3四半期の16歳～24歳までの若者の失業率は19・9％に達している。実質上は20％以上になっているだろう。その状況では若者は結婚しないし、結婚したとしても経済的余裕がないため子供をつくらないのである。

さらに深層な原因は、ここ数年間、中国の若者たちの間で流行っている「躺平主義（タンピン：横たわり主義／寝そべり主義）」だ。躺平主義はネット上から生まれた大流行語で、「頑張らない、競争しない、欲張らない、最低限の消費水準の生活に満足し、心静かに暮らす」という意味である。

ネット上では多くの若者たちが「躺平主義の実践」を宣言して躺平族が大量に出現し、

社会現象になった。さらに躺平主義は「3不主義」へとエスカレートしている。すなわち、**「不恋愛、不結婚、不就職**（恋愛しない、結婚しない、就職しない）**」**ということだ。

恋愛にはお金がかかる、結婚にはさらにお金がかかる、恋愛と結婚をしなければお金も使わないから、就職する必要がない。ただし現実には、そもそも多くの若者は就職ができない状況になっている。

結果的にこの躺平主義の背景には、中国の若者の現状に対する絶望感と未来に対する諦めがある。その諦めが出生数激減をもたらしたひとつの大きな要因だと考えられる。

今後、この状況はどうなるのか。あるいは、どのような影響をもたらすのか。

昨年1年間の出生数はすでに1000万人台を切った。今年回復するという気配はどこにも見あたらない。1000万人を切った出生数は今後長期的に続く流れとなる。一方、毎年2000万人以上の人々が65歳以上の高齢者になっていき、人口の高齢化も急速に進む。

10年後、20年後の中国では人口構造が完全に逆ピラミッド化し、労働者不足・生産性の下落・国力衰退を引き起こす。となると、「民族の復興」どころではない。習政権の**「強国夢」**は単なる夢に終わるだろう。周辺国と国際社会にとっては喜ばしい展開である。

## 省公安首脳が行った高校生自殺での異例な記者会見

2月2日、中国江西省公安庁（警察本部）は江西省鉛山県で、県内の男子高校生である胡鑫宇《こきんう》が「失踪、自殺した」とされる「胡鑫宇事件」に関する記者会見を行った。これは中国国内で大きな話題になっていた。

記者会見には公安庁副庁長（副本部長）らが出席して事件の詳細を説明した。その後、記者からの質問にも答えたのだ。

前日の2月1日に新華社通信がこの記者会見を予告し、当日はCCTV（中央テレビ局）が記者会見の模様を全国に中継した。こうしたCCTVの対応自体も大きなニュースになった。

中国では年間約10万人の青少年が自殺している。だから1人の高校生の自殺について、省公安の首脳が記者会見を行うのは非常に異例なことである。中央テレビ局であるCCTVが中継を行うのは、さらに**異例中の異例であり前代未聞**のことなのである。

通常、CCTVが中継するのは中国共産党大会の開幕式や習近平が関わる重大行事しかない。高校生の自殺事件の記者会見を中継するのは共産党政権の歴史上で初めてのことではないかと私は思う。それも、この事件が全国的に大きな疑念を呼び起こし、国民の一大関心事となっているからだ。

胡鑫宇は昨年10月まで江西省鉛山県内の寄宿学校に在学していた高校1年生だった。10月14日の夕暮れ時、校内の寮から出た彼の姿は校内の監視カメラに捕らえられていた。それ以降、姿を完全に消してしまった。だが、学校の玄関口に設置された監視カメラの映像からは彼が玄関から出た形跡はない。しかも現金やスマートウォッチを寮に残したまま失踪したのだった。そのため、彼ははたして自分の意思で失踪したのかどうかは当初から疑問視されていた。

だから警察に失踪を届けた親族も、この失踪への疑念をネットなどを通して社会に訴えたのである。

この寄宿学校では過去に4件の生徒失踪事件が発生していて、どれも**今でも未解決のままだ**。多くのネット民は「闇の臓器摘出」との関連性で失踪事件を取り上げ、事件は徐々に人々の関心を集め、全国的に注目されるような「大事件」へと発展したのである。

こうしたなか、失踪した胡鑫宇の行方に対する徹底調査を求める声が全国から上がり、人民日報も「1日も早く胡鑫宇君を見つけて世論の関心に応えよう」と捜査を促した。これを受けて地元警察は数千人動員で学校の周辺に対する絨毯式捜査（しらみ潰し捜査）を行ったものの、胡君を「発見」することはできなかった。

## 臓器提供の不足で横行している闇の臓器摘出犯罪

1月29日、地元警察は胡鑫宇の遺体が学校のすぐ近くにある食料倉庫敷地内の樹林で首吊りをした状態で発見されたと発表したのである。倉庫の管理員が1月28日に発見したという。遺体の腐敗はかなり進んでいた。それでも警察は、着ている服とDNA検査から遺体を胡鑫宇と断定したうえで死因を首吊り自殺であると発表した。

ところが、この発表に対してネット上には以下のような疑問の声が殺到したのだった。

①もし胡鑫宇が失踪した直後（昨年10月14日）に自殺し、遺体がずっと首吊り状態であったならば、常駐しているはずの複数の倉庫管理員はどうして今年1月17日までの3ヵ月以上それに気がつかなかったのか。

②遺体の腐敗が進み強烈な異臭を放っていたはずなのに、倉庫管理員全員が気づかなかったのはおかしいのではないか。

③地元警察が数千人を動員して学校周辺でしらみ潰しの捜査を行ったのに、そのときにどうして遺体を見つけられなかったのか。

ネット上で疑念と不審の声が広がるなか、2月1日、新華社通信は記者会見の開催を予告し、2月2日、CCTVによる中継で記者会見が行われた。

記者会見における江西省公安庁の公式発表は依然として胡君の死を「首吊り自殺」と断定し事件性を完全に否定した。だが当局の発表した首吊り自殺には、最初から大きな疑問点がある。

①警察当局発表では胡鑫宇は自分の靴ヒモを使って首を吊ったという。だが1本の靴ヒモは、体重が60キロ以上もある身体を切れることなく吊るし続けることがはたして可能なのか。しかも遺体は3ヵ月以上ずっとその1本のヒモで吊られていたことになる。そんな状況があり得るのか。

②当局の発表では、胡君は4・5メートルの木の枝を使って首吊りした。しかし踏み台に何を使ったかの発表は一切ない。彼はどうやって自分自身の体を4・5メートルの高さまで吊り上げたのか。

以上の当局の発表も疑念だらけだ。隙間だらけのいい加減な説明で彼の死を自殺と片付けたいという魂胆なのである。だが、それがむしろ事件の背後に得体の知れない深い闇があるということを感じさせる。実はその闇は江西省公安庁の記者会見の公式発表での「余計な一言」に隠されている。すなわち、「（遺体の）各臓器はそのしかるべき位置にあって欠けていない」という一言だ。

通常の遺体検査報告では「各臓器は完全無欠である」とわざわざ書く必要はない。しかし当局がそれをあえて強調していること自体、国民の目がすでに事件の背後に向いていることを強く意識した挙動である。中国のことわざである「此地無銀三百両（何かを隠そうとする行為自体がその何かをバラしてしまう）」からすると、CCTVの異例の生中継で行われた記者会見も、中国の自称「臓器移植大国」という闇を隠すためのプロパガンダである可能性が濃厚なのだ。

一昨年の2021年10月27日、「中国臓器移植大会」が杭州市で開かれ、そこで「中国は臓器移植大国から臓器移植強国へと邁進している」という宣言が行われた。

この大会で披露された数字によると、2021年9月現在、全国で臓器移植の待機者は10・5万人いる。対して提供志願者は1・4万人未満にすぎない。供給が需要を大きく下回っているという状況である。

このような需要と供給のアンバランスのなかで**「闇の臓器摘出犯罪」**が横行している。だから国民の多くが胡鑫宇事件の背後の闇に疑念を向けているのも当然なのである。

それに当局は、前述した隙間だらけの自殺発表を行って火消しに躍起になった。と同時に事件に対する民間の疑念をデマだと断じたうえで、疑念を持つなら「逮捕や処罰をする」と恫喝した。むしろ当局による「闇隠し」の疑惑をますます深めているわけである。

## 「白紙革命」ならぬ「白髪の乱」がなぜ勃発したのか?

高齢者は白髪だから「白髪の乱」は高齢者と関係がある。今年1月、湖北省を含めたいくつかの地方政府は医療保険に関する「改革案」を発表した。その目玉のひとつは、国有企業などの定年退職者に今まで毎月支給する260元(約5000円)の医療補助金を一律80元(約1550円)に減額するということだ。

今まで定年退職者たちは、毎月自分の口座に振り込まれる260元の医療補助金を自己裁量で使い、医薬品の購入などに当てる。使い切れずに残った分は貯めておいて、大きな病気になったときの医療費として取っておくことができた。

しかし改革案では、毎月自由に使える医療費が以前の3分の1以下に減らされるだけではなく、大きな病気になったときの保険額に対する制限もある。高齢者たちからすれば、改革はまさに年寄りイジメの改悪にほかならない。

この改悪の背景にあるのは地方政府の財政悪化だけではない。昨年12月までの数年間、PCR検査などのゼロコロナ政策によって地方政府は医療保険金を使いすぎてしまった。そのため**深刻な保険金不足が生じてしまった**ことも、定年退職者たちへの毎月の補助金支給の大幅減額の大きな要因になったのである。

だが理由がどうであれ、定年退職者たちにはこの改悪は死活問題となる。まず2月8日、湖北省の中心都市の武漢で数千人の高齢者が市政府ビルの前で抗議活動を行った。政府に対して改悪撤回を求めると同時に、政府側が要求に応じなければ、2月15日に再び抗議デモを行うと予告した。しかしその後も政府当局は、医療改革は結果的に高齢者たちの利益になると力説し、改悪を撤回する意思を一切示していない。

2月15日が迫るなか、武漢市政府と警察は、予告された抗議デモの集合地である市内の公園と最寄駅の地下鉄を封鎖した。それでもデモの発生を完全に封じ込めるための体制を整えることはしなかった。

結果的には予定通り2月15日に大勢の高齢者たちが市内公園前と周辺に集まり、警察の警戒下で推定1万人規模の抗議デモを行った。高齢者たちはインターナショナル（国際歌）を歌いながら、政府が改悪を撤回しない限り徹底的に戦っていくということを誓って気勢を上げたのだった。

警察の一部では高齢者たちと軽くもみあったものの、本格的な鎮圧は行わなかった。相手が高齢者なので万が一、死者を出してしまったら、さらに大きなデモへとつながりかねないからである。

抗議デモは武漢だけでなく遼寧省の大連市などでも起きていた。今回の抗議デモでまず注目すべき点は、言うまでもなく**主力が高齢者である**ことだ。高齢者は普段、若者と比べると、政治権力に従順で抗議活動などには消極的である。どちらかと言えば、政権擁護者が多い。その高齢者たちが自らの権利を守るために立ち上がったのである。

若者中心の「白紙革命」から3ヵ月足らずで**「白髪の乱」**が発生した。政権に対する反抗・反乱の輪が、さまざまな階層や年齢層を巻き込んで確実に広がっている。一方、当局の動きの鈍さも目立っていて、1週間前の2月8日に再デモが予告されていたにもかかわらず、当局は2月15日のデモを阻止できなかった。

個人独裁を強めた習政権の3期目では、各地方政府と中央政府の統制能力はむしろ弱まった感がある。習近平の側近は無能な人ばかりだ。医療保険改悪反対の白髪の乱は今後どう広がるのかは未知数だ。ただしこれから政権のさまざまな政策に対して、不平不満を持つ階層や年齢層の人々がさまざまな形で抗議活動を行うことは、習政権下では常態化してしまうことは予想できる。

中国は確実に不安定な動乱の時代へと移行しつつある。中国史上に付き物の天下大乱がいよいよやってくる予感がする。

## よみがえる文革の狂気の思想教育運動と知識青年下郷動員

中国共産党は4月3日に北京で最高指導部の全員が出席して「習近平思想主題教育工作会議」を開催した。そこで習近平自ら演説を行って、習近平思想を主題とする思想教育運動の全国展開を呼びかけた。

しかし**このニュースに私は笑ってしまった**。というのは、習自身が自分の思想の教育運動展開に号令をかけたからだ。自分からみんなに対して「俺の思想を勉強しろよ」と言った。これほどの厚かましさは中国共産党史上でも前代未聞のことだ。恥も外聞もない。確かに昔、毛沢東思想による洗脳教育もあった。だが、そのときには毛沢東本人ではなく周辺の人間が「毛沢東思想を学ぼう」と言ったのだった。

また、習近平の著作から肝心な部分を選んで抜粋した『習近平著作選読』（人民出版社刊）の第1巻と第2巻が思想主題教育の教材として使われることになった。この中国共産党最高指導者の著作選集が一般に刊行されるのも、半世紀前の『毛沢東選集』以来のことだ。毛沢東思想の教育を行うために『毛沢東選集』が何億冊も発行されたのである。

習近平は今になって毛沢東に倣い、自分の思想による洗脳教育を行って自分を教祖に祭り上げようとしている。絶対的な権力者になっただけでは満足できず、毛沢東的な教祖になって自分の思想を中国国民に勉強させるような世界をつくりたい。まさに毛沢東流の**文革の狂気が半世紀ぶりに中国で蘇ってきた**。

文革の狂気と言えば、同じ4月3日に中国の一部のメディアが報じたところでは、広東省政府が30万人の知識青年を下郷に動員する計画を発表した。下郷とは「農村に行く」という意味である。広東省政府の計画は、大学新卒を中心とする若者を農村支援のために都市から農村に送るというものだ。

このような計画が立案・実行される背景には若者たちの失業問題がある。それは今、非常に深刻化していて、中国政府の発表では、今年第1四半期に全国の16歳から24歳までの若年の失業率は19・6%にも達している。政府が19・6%と言うのなら、実際には少なくとも二十数%になっているだろう。この年齢層の若者たちは5人のうち1人が失業している。大学新卒も24歳までに入っているので、大学を卒業しても仕事がないという状況だ。

しかも計画を立てたのが中国で経済成長の最先端の場所である広東省という点も非常に興味深い。広東省でさえ失業問題解消の窮余の策として若者を農村に行かせるのなら、なおさら深刻な失業問題を抱えている内陸部の経済後進地域でも似たようなことが始まるだろう。

だから広東省から始まった**「下郷運動」**は全国へと展開されていく可能性が高い。私たちの世代の中国人が見たら、文革時代を思い出さざるをえない。毛沢東の文革時代も経済の停滞のために失業問題が深刻化し、それを解消するために毛沢東の号令で数千万人の都市の知識青年が農村に行かされた。これは「上山下郷」運動と呼ばれた。上山は山間部へ行くということで、下郷と同じような意味だ。

習近平は父親が共産党で失脚したこともあって、中学校を卒業しないまま「下郷」させられた経験もある。毛沢東時代に下郷した知識青年は進学と就職のチャンスが完全に失われ、未来への希望も奪われた。悲惨な青春時代を余儀なくされたのだ。今でもこの知識青年下郷は文革時代の大きな悲劇のひとつとして語り継がれている。今回の下郷運動のニュースで、多くの中国人は新しい時代の上山下郷が始まったと思うはずだ。つまり文革時代の悲劇があったにもかかわらず、広東省から現代版の下放が始まった。

失業問題は本来なら経済政策で解消しなければならない。ところが習政権は、経済政策で解消しようとするのではなく、やはり毛沢東時代のやり方を踏襲して対応するのである。それで毛沢東政治に退嬰《たいえい》して旧態依然の下郷運動が失業問題の解決策として再び持ち出されてきたのだった。

広東省政府の計画には政権の意向が反映されている。それは**毛沢東回帰**であり、**政権の本音**なのである。

地域が違っても同じ時期に文革流の思想教育運動と知識青年の下郷運動が動き出したのは、習政権3期目の下で中国が、これから鄧小平時代の改革開放と逆行して文革時代の毛沢東政治に戻りつつあることを示している。今後、中国で文革の狂気が蘇ってくるのは間違いない。

第6章

# 蹉跌に陥る皇帝外交

## 首脳会談ラッシュを利用して「皇帝外交」を演出

昨年11月14日から17日までの4日間、習近平はG20（インドネシア）とAPEC会議（タイ）に出席する機会を利用し、アメリカ、フランス、オランダ、インドネシア、シンガポール、日本など14ヵ国の首脳と相次いで個別会談を行った。平均すると1日3回以上の会談をこなしたことになる。

会談がいちばん集中したのが11月15日前後で、8ヵ国の首脳と個別会談を行った。米国大統領のバイデン以外の首脳との会談時間は短く、日本の岸田首相との会談は冒頭の挨拶を含めて45分、豪州首相との会談はわずか30分だった。逐次通訳の時間を除くと、実際の会談時間はその半分である。

このような短い会談では、両国の首脳は事前に官僚たちから用意された紋切り型の話の内容を話すのに精一杯だ。お互いの言いたいことを言って終わるので、踏み込んだ意見交換や合意形成は最初から望めない。

14ヵ国の首脳と会談した習近平にとっても、バイデンとの会談以外は中身よりも会談を行ったという形が重要だったはずだ。無理して過密なスケジュールで首脳会談を遂行したのは**一種の演出**である。

何のための演出なのかと言うと、ひとつは国内向けだ。つまり行ったすべての首脳会談は国内向けの宣伝を強く意識したもので、逆に言うと国内宣伝のための外交なのである。

習近平がいろいろな首脳と会談を行うと、会談当日のCCTVのニュース番組では長時間をかけて各国首脳と会談する様子を映像で報じる。ただし、いずれも「両国関係はこうするべきだ」「国際社会の方向性はこうあるべきだ」と習が語っているシーンなので、どの話の内容もだいたい同じになる。

翌日の人民日報も1面～3面にかけて各国首脳と会談したニュースをひとつずつ写真付きで掲載する。記事も同様に彼が相手国の首脳に対して「すべきだ」「すべきではない」という口調で話す内容となっている。

だから映像でも新聞記事でも首脳会談というより、あたかも各国首脳に対して訓示しているような感じになる。それも**一種の印象操作**だ。

このタイミングで印象操作をする必要があったのは、昨年10月の中国共産党大会と関係がある。習近平は党大会で汚い手を使って事実上のクーデターを強行し、自らの続投を実現させ、反対勢力を一掃した。それに対して共産党のなかでも国民のなかでも疑問を持つ人や反発する人が多いのだ。だから国内での疑問や反発を鎮めるために一連の首脳会談を利用して自分の独裁的地位は世界の主要国から認められたという演出を行ったのだった。演出のもうひとつのより深い意味合いは、党大会を経て個人的独裁体制を確立し、事実上の**「皇帝」**となった習近平が中華皇帝の伝統に則って首脳会談を行ったということを示すためである。

昔の中華帝国の皇帝が即位して必ずやったのが周辺のいくつもの朝貢国の王や使節を中国に呼んで礼拝させることだった。これは、中国の皇帝は中国だけを支配する権力者ではなく、天下（すなわち世界全体）を支配する**「天子」**であることを国内外に示すという重要な儀式だった。

したがって私の分析としては、習近平が皇帝になったつもりで2つの国際会議の場でアメリカ、フランスなど世界の主要国や日本、シンガポール、韓国など周辺国の首脳に対して「訓示会談」を集中的に行い、それを国内向けに大々的に宣伝することは、自らが事実上の「皇帝」になったことを主に国内に印象付けるための「儀式」なのである。

そのために中国側は、可能な限り自分のいるホテルに各国首脳を呼んで会談を行うようにしていた。11月17日に行われたフィリピン、シンガポール、日本の3ヵ国との会談の場所もすべて習のいるホテルだった。

中国側にとっては、それによって習近平皇帝に各国首脳が拝謁しにきたということになるのだ。この点に中国側は非常にこだわる。一方、外国の首脳たちは会談の場所などあまり気にしない。

基本的に習近平にとっては首脳会談も国内向けの演出だから、外交は二の次だ。岸田首相も彼と会談していろいろな話をしても無駄なのである。彼からすると、何も話さなくてもいいし、まったく聞く耳を持たなくてもいい。自分のホテルに来て拝謁した岸田首相に対して訓示をしたという印象で必要十分なのである。

## 石油取引の「人民元決済」実現に失敗した中東外交

昨年12月7日から10日までの4日間、習近平はサウジアラビア（以下、サウジ）を国賓として訪問し、その期間中にサウジの肝煎りで開催された「第1回中国アラブ国家サミット」、および「中国（ペルシャ）湾岸アラブ国家協力委員会サミット」にも出席した。

サウジへの国賓訪問でサルマン国王と会談したのは12月8日だった。両国間における

「包括的戦略パートナーシップ協定」への署名を行い、ムハンマド皇太子とともに12件の2国間協定・覚書の締結にも立ち会ったのである。

2国間協定・覚書の主な内容は以下だ。

①サウジアラビアの「ビジョン2030」と中国の「一帯一路」構想との協調計画。
②両国間の民事、商業、司法支援に関する協定や直接投資奨励の覚書。
③中国語教育への協力に関する覚書。

以上の合意事項によって中国は、アメリカと距離を置いたサウジと関係強化を図り、それを土台に中東全体を取り込んでアメリカと対抗する、という戦略的目的をある程度達成した。中国国内の官制メディアもいっせいにサウジ訪問を**「中国外交の歴史的大勝利」**だと絶賛したのだった。

ところが、サウジとの合意内容にはひとつ決定的な欠如があった。当初から懸案になっていた両国間の石油取引の**「人民元決済」**が合意事項に含まれていないことだ。結局、習近平のサウジ訪問は、二国間で石油の人民元決済を実現させることによって米ドルの世界覇権を切り崩す、という最大の目標を達成できなかった。

昨年3月にアメリカの通信社ダウ・ジョーンズは、サウジが中国への石油販売について一部を人民元建ての価格設定にすることを中国側と協議している、と報じた。以来、中国とサウジとの人民元決済の実現が世界的関心の的となった。もちろん中国国内でも、その実現は米ドルの覇権を叩き潰す歴史的第1歩になるはずだという期待が高まってきていた。

だから習のサウジ訪問の直前には、中国国内メディアや専門家たちもいっせいに欣喜雀躍して、「米ドル覇権打破、中国台頭」への期待感をさらに大きく膨らませ、国内の雰囲気はすでに「勝利確定」の「前祝い」のような騒ぎとなったのである。

また、中国にとってサウジが最大の石油供給国であることと、サウジにとって中国が最大の貿易相手国であることは、石油取引の人民元決済実現のための好条件だと思われていた。この点でも多くの中国人は必勝の自信を深めていた。

それが蓋を開けてみると、まったくの期待外れとなってしまったのだ。

両国間の首脳会談と共同声明において、サウジは最後まで石油取引の人民元決済にOKを出さなかった。それどころか習近平がリヤドに滞在していた12月9日、サウジのファイサル外相はよりによって「中国とアメリカの双方と協力を進める」という考えをわざとらしく強調し、中国一辺倒にはならないという態度を明確に表明したのである。

同じ12月9日に開かれたGCC（湾岸協力会議）首脳やアラブ諸国首脳との会議では、

習近平は「石油や天然ガス貿易の人民元決済を展開したい」との意欲を一方的に表明した。それも参加国から賛同の声が得られず、共同声明にも盛り込まれなかった。

中国の人民元決済の意向はサウジおよびアラビア関係諸国によってほぼ完全に黙殺されて、まったくの不発に終わったのである。中国は、期待している人民元国際化の第1歩を米ドルの国際覇権の厚い壁に阻まれて踏み出せなかった。

鳴り物入りの中東外交は一定の成果は挙げた。とはいえ、いちばん肝心なところでは大失敗してしまったのである。

## 対露外交の方針大転換を行った習政権

昨年12月30日に王毅《おうき》の後を継いで中国の外交部長（外相）に任命された秦剛《しんごう》は年明けから早速、活発な外交活動をスタートさせた。1月11日からアフリカ諸国への外遊を始め、アメリカ、ロシア、パキスタン、韓国の4ヵ国の外相とも電話会談を行ったのだった。

一連の電話会談のうち最初に行ったのは、米国務長官のブリンケンとの会談である。1月1日の元旦、外相に任命されてからわずか2日後にブリンケンと電話会談を行い、新年の挨拶を交わして**「米中関係の改善と発展」**に期待を寄せた。

外相に任命される直前まで秦剛は駐米大使を務めていたから、外相になって初めての電話会談相手が米国務長官であることは自然の成り行きとは言える。しかし最大の友好国家であるロシア外相ラブロフとの電話会談をその後に回したことにはやはり違和感がある。中国の外交姿勢に何かの変化が起きているのではないか。

ラブロフとの電話会談が実現されたのは1月9日で、米中外相電話会談から8日後のことだ。同じ1月9日に秦剛はパキスタンと韓国の外相とも電話会談を行ったから、そこにもロシアとの関係を「特別視しない」という中国側の姿勢がうかがえる。

中国外務省の公式発表では、「秦剛は予約(要請)に応じてロシア外相との電話会談に臨んだ」。要するに、「向こうからの要請がなかったら電話会談をやっていない」ことを暗に示唆している。わざと「要請されての電話会談」を強調するのは、やはりロシアとの距離感を示す狙いがあるのだろう。一方、ブリンケンとの会談には中国側は「要請されて」という表現を使わなかった。

肝心の中露外相会談の中身は中国外務省の公式発表では、秦剛は電話のなかで「中露関係の高レベルの発展」に意欲を示しながらも、「中露関係の成り立つ基礎」として「同盟しない、対抗しない、第三国をターゲットとしない」という**「3つのしない方針」**を提示した。

この「3つのしない方針」の意味合いを考えてみると、「第三国をターゲットとしない」というのは、アメリカとEUの存在を強く意識したものだろう。つまり中国の新外相は、ここで中露関係は決して欧米と対抗するための関係ではないということをむしろ欧米に向かって表明したのである。

また、ロシアに対して「対抗しない」という方針を示したことも大変に興味深い。「対抗しない」と言うのであれば本来は、対抗している国同士で関係改善を図るときに発する言葉だ。友好国家の間で、このような表現が使われることはまずない。

例えば日本の外相があえて米国務長官、英国外相、フランス外相などに向かって「対抗しない」と語るようなことは考えられない。親密な関係の友好国同士の間で「対抗する」というのは、最初から想定されていないからである。

だが秦剛は、いちばんの友好国であるロシアの外相に対して「対抗しない」という言葉を使った。とらえ方によっては、ロシアとの今までの親密関係を頭から否定するような発言でもある。さらに「中露は互いに対抗しなければそれでよい」という中露間の親密さを打ち消すような冷たい言い方にもなっているのだ。

そして「同盟しない」となると、中国側はこれで明確にロシアと同盟関係を結ぶ可能性を否定したわけである。

結局、秦剛が示した中国の対露外交の３つのしない方針は、実は２０２１年以来の習政権の**対露外交方針からの大転換**にほかならない。

これまで中国の外相や外交関係者は中露関係をどう語ってきたのか。いくつかの実例を挙げてみよう。

例えば２０２１年1月2日、当時の外相の王毅は人民日報のインタビュー取材で、「中露間の戦略的協力は無止境、無禁区、無上限である」という「３無方針」を述べた。つまり中国は、ロシアとの間で軍事協力の強化や同盟関係の締結を含めた無制限の関係強化に対して意欲を強く示したのである。

無上限とは協力についての上限がない、無禁区は立入禁止地域がない（どんなことをやってもいい）、無止境は留まることがない（常に前に向かって前進する）。特に無禁区には非常に重要な意味があって、これを言葉通りに解釈すれば、ロシアとの軍事同盟も視野に入れているということだ。

２０２０年10月23日、当時の中国外務省報道官の趙立堅《ちょうりつけん》は記者会見で、王毅と同じ表現を使って「中露協力は無止境、無禁区である」と語った。昨年10月4日には王毅は新華社通信のインタビュー取材で再び、「中露関係は無止境、無禁区、無上限である」と強調したのだった。

１月９日に秦剛がラブロフと行った電話会談では３無方針は完全に消え、その代わりにロシア側に３つのしない方針を提示したのである。

どう考えても、従来の３無方針の明確な否定であり、習政権の対露外交方針の１８０度の大転換だと言うほかはない。「無止境・無禁区・無上限方針」は、明らかに軍事同盟を

プーチンと習近平（新華社通信）

含めた同盟関係結成の可能性を強く示唆した表現である。対して3つのしない方針では、真っ先にロシアと同盟する可能性を明確に否定したのだった。

その意味するところは、習政権は今までの数年間の**「連露抗米」**戦略を放棄し、アメリカとの関係改善を図る一方、ロシアとの親密関係を根本的に見なす方針に転じたということだ。となると、前駐米大使の秦剛を新外相に任命したのも、まさにその外交方針転換の一環なのである。

秦剛は外相就任早々一連の電話会談で、この新方針を実施に移し始めた。同時に、今までに中国の「戦狼外交」の顔として傲慢姿勢を貫いていたために欧米での受けが悪かった趙立堅を表舞台から去らせたのだ。それもまた外交方針の転換の表れである。

こうして中国の習政権は、ウクライナ戦争に勝てなくて「世界の大国」の地位から転落したロシアに見切りをつける一方で、経済立て直しのために欧米との関係改善を図ろうとしているのである。

欧米との関係改善は中国の思惑通りになるとは限らない。しかし確実に中露関係は新しい局面を迎えようとしている。

## 不発に終わった中国の羊頭狗肉の和平案

ロシアのウクライナ侵攻から1年の2月24日を目前に、中国が戦争の終結に向けて何らかの和平案を提示し本格的な調停に乗り出すのではないか、との観測と期待が一部の関係国から上がった。

2月23日、米国務省のヌーランド次官はワシントン・ポストに「中国が何を提示するのか待っている。発表は明日だと思われる」と言って、「もし習近平主席がロシア軍をウクライナから追い出すことができれば、我々は称賛し平和の対価を与えるだろう」と述べたのだった。

同日、ウクライナ大統領のゼレンスキーは記者会見で、中国が策定している和平案に対して「一般的な情報」しか得ていないとしながらも、「中国が和平の仲介を検討していることは心強い。中国と会いたい」と期待感をにじませた。

2月14日から22日まで中国外交トップの王毅はフランス、イタリア、ハンガリー、ロシアを歴訪し、ミュンヘン安全保障会議にも参加した。そのなかでフランス大統領、ドイツ首相、EU高官、イギリス外相、ウクライナ外相、ロシア大統領のプーチンと相次いで会談した。この王毅の一連の動きからすれば、中国は積極的に調停役を果たしているのではないかという観測が強まったのである。

そして2月24日に中国外務省は12項目からなる「和平案」を発表した。ところが、あまりにも**中身のない期待外れの案**だったため、今度は失望感が一気に広まった。

中国案にはNATOとEUの反応も消極的で、NATO事務総長のストルテンベルグは「ロシアによる違法なウクライナ侵攻を非難することができない中国はあまり信用できない」と言って中国への不信感を露にした。

中国案の発表を受けてゼレンスキーも24日の記者会見で「中国が提示したのは複数の見解であって、具体的な計画でない」と指摘して失望感を隠さず、中国案の「停戦の呼びかけ」には「停戦にはロシア軍撤退が必要だ」として一蹴した。

中国案でまず注目すべき点は、「ウクライナ危機の政治解決に関する中国の立場」というタイトルだ。つまり、当事者双方に対する調停案ではなく、**中国従来の立場を一方的に表明しただけのもの**なのである。

12項目の中身を見ると、第1項目と第2項目では「各国の主権の尊重」「冷戦的思考の放棄」をそれぞれ訴えているのに、ウクライナの主権を実際に犯しているロシアへの批判はない。「各国の主権の尊重」は単なる原則論、綺麗事にすぎない。さらに「冷戦的思考の放棄」は、現在起きている戦争とは何の関係もない場違いの頓珍漢な話だ。

次の第3項目では「停戦」、第4項目では「和平交渉」を双方に呼びかけている。しかしその前提条件となるはずのロシア軍撤退については一切言及していない。ウクライナ領土に対するロシアの軍事侵攻を事実上容認したままの「停戦」「和平交渉」の呼びかけなど、まったく虚しく意味のないものである。

さらに第10項目の「一方的な制裁の停止」は、西側から制裁を受けているロシアを一方的に庇《かば》うもので、「調停者」としての公正性を最初から放棄している。

いちばんよくわからないのが第11項目の「サプライチェーン安定の確保」である。これが今のウクライナ危機の政治解決と、どんな関係にあるのかさっぱりわからない。むしろそれは**中国自身の問題**だ。世界のサプライチェーンの中国離れは、中国自身にとっての危機のはずだからだ。

他の項目には「人道的危機の解決」「民間人と捕虜の保護」「核兵器使用の反対」「核発電所の安全確保」などがある。掲げていることは正しい。だが、中国が言わなくてもいいような一般論であり、具体的な解決策はまったく提示していない。

全体的に見れば、中国が発表した12項目は当初期待されていた和平案には程遠く、「停戦」「交渉」を呼びかけながらも説得力と具体性が完全に欠落した羊頭狗肉（中国で生まれた四字熟語）のものである。

習政権はウクライナ危機に関して当初、ロシア一辺倒の姿勢をとったために公平性を失い、今になって米露の間で左右に揺れている。もともと和平の調停役を果たせるわけがないのだ。

結局、王毅をヨーロッパに派遣して各首脳と会談させて外務省から文書を出したのも、習近平の世界的指導者としてのイメージアップのために調停に乗り出したふりをしただけなのである。中国の前述のような立場表明は、ロシア以外の当事国から消極的な態度を示されて不発に終わろうとしている。

## ロシア訪問が「平和の旅」というのはただのウソ

習近平は3月20日から22日にかけて2泊3日の日程でウクライナ侵攻後のロシアを初めて訪問した。これは彼が国家主席として3選となった直後の初めての外遊でもある。

ロシア訪問で3月20日は夕食を挟んだ約4時間半のプーチンと2人だけの会談であり、翌日はいろいろな人々が入っての正式会談だった。

ウクライナ戦争の最中にロシアの最大の友好国家である中国の国家主席がロシアを訪問したので、それが戦争終結に向けての仲介の旅になるのではないかと期待する報道機関も一部にはあった。

例えばロイター通信は3月17日に報じた彼のロシア訪問のニュースに「平和促進も目的」というタイトルを付けたのだった。日経新聞の同様のニュースも「仲介外交」というタイトルを出した。

しかも中国外務省が2月24日に12項目からなる前述のいわゆる「和平案」を発表していたし、彼自身もロシア訪問の直前にロシアの新聞に「自らの訪問は友情の旅」とする寄稿を行って、和平の旅を自称した。

だからウクライナ戦争が膠着状態になっているのに乗じて、世界の指導者として和平の調停に乗り出すのではないか、という観測あるいは期待も国際社会の一部では生まれていたのである。

だがロシア訪問の結果はまったくの期待外れだった。彼が和平の調停を本気でやったという様子は何もなかった。

それは3月21日に発表された中露の共同声明にも如実に表れている。1から9までの項目で成り立っている共同声明の全文は人民日報にも掲載された。しかしウクライナ戦争の平和に言及した部分は第9項目にしかなく、分量としてはその項目の5分の1程度にすぎない。つまり共同声明全体からすると、ウクライナ戦争に言及した部分は、せいぜい5％程度でしかないのだ。

とすれば彼にとっては、中露首脳会談でもウクライナ戦争問題は決して中心的な課題ではなかったということだ。だから、ついでにアリバイづくり的にお互いにちょっとウクライナ戦争の話をしただけであって、本気でプーチンに対して「ウクライナ戦争の終結」についての話を出したはずはない。

実際、会談が終わった後、ロシアが和平交渉に向けて何らかの動きを示すということは一切なかった。逆にロシアはウクライナへの軍事攻撃を一層強化し、ウクライナの民間施設にミサイルを打ち込むようなことも行ったのだ。

戦争のもう一方の当事者であるウクライナのゼレンスキーは、習近平がロシア訪問でモスクワに行った3月22日と23日にロシアとの戦いの最前線に視察に赴き、「徹底的に戦うぞ」と訴えた。23日にはゼレンスキーは視察から帰ってくる列車のなかで、ウクライナ戦争が長期戦になり得るということを前提にして、欧米に対し武器の供与を呼びかけるビデオ演説を行ったのだった。

ゼレンスキーが長期戦も想定しているわけだから、中国から和平の調停など何もないのは明白だ。逆に言うと、中国の働きかけによって戦争が終結に向かうという可能性がまったくないからこそ長期戦を覚悟しなければならないのである。

また習近平のロシア訪問が決まった後、一部の報道ではロシア訪問の直後にゼレンスキーともオンラインで会談するのではないか、という報道があった。しかしロシア訪問が終わっても、そういうオンライン会談の話は一切なかった。

中国による和平調停は最初から幻であって、報道機関が勝手にそれを期待していたにすぎない。もちろん中国が故意に期待させるような動きをしたという面もある。

最初から習近平にはウクライナ戦争の和平調停をする気など全然なかった。というのは、プーチンが和平調停に従うはずがないから、もともとそのような力もなかった。

習近平が和平の旅だと自称したのは、ウクライナへの侵略国家となったロシアに訪問するという外交行動への国際社会からの批判をかわすためだったのだ。

彼の言う和平の旅は最初からウソなのである。ロシア訪問後、ウクライナ戦争は終結の見通しが出てくるどころか、むしろこれから激化していくという様相を呈している。彼のロシア訪問は和平の旅というより**ロシアを助けに行って戦争を助長させる旅**になったのだった。

## 対米関係改善を目指してロシアと距離を置く

では習近平は何のためにロシアを訪問したのか。それを知るには、昨年2月にロシアが侵略戦争を始めた前後から現在に至るまでの一連の流れを見てみる必要がある。

ウクライナ侵略に踏み切る直前の昨年2月4日にプーチンは北京に行って、習近平と会談した。この時点では習政権は、むしろロシアを全面的に後押ししたのだった。ロシアが戦争に踏み切って勝利を収めたら、それは自分たちの企む台湾侵攻の追い風にもなるからだ。だから、その戦争をいろいろな形で応援したのである。

例えばウクライナ戦争の以前からロシアの天然ガスを大量に買うことを約束したのもそのひとつだ。このとき中国側が示したのが、すでに述べたロシアとの関係性についての

「無止境、無禁区、無上限」という3無方針である。これが当時の習政権の対露方針だった。ところがウクライナ戦争が始まったら、ロシアの侵攻はうまくいかずに長期化し、戦争が膠着《こうちゃく》化・長期化してきた。加えて欧米は一致団結してウクライナを支援している。そのなかで徐々に習政権はロシアとの距離を置き始めたのだった。

昨年の年末になって習政権は本格的にロシアとの距離を置くことにしたのである。昨年10月の中国共産党大会が終わった後、まず12月30日に前倒しで外相人事を行った。従来なら外相人事は今年3月の全人代で行うものだからだ。

新しい外相に任命されたのは駐米大使だった秦剛である。彼は就任後2日目となる今年元旦にブリンケンと電話会談して米中関係の改善を訴えた。しかし中国にとってロシアがいちばんの友好国であるのなら、まず真っ先にロシア外相に電話しなければならないだろう。

実際には秦剛はアメリカの国務長官に電話した。ロシアのラブロフ外相と初めて電話会談をしたのは、それから8日も経った1月9日だった。つまり、わざと1週間以上遅らせて露骨に対米関係重視とロシア軽視の姿勢を明確に示したのである。

言い換えると、「ロシアと軍事同盟を結んでいい」から「ロシアと同盟しない」という方針に変わったのだ。秦剛を新外相に据えたときに、昨年の党大会で3期目のスタートを切った習政権は、ロシアと距離を置きながら対米関係の改善へと乗り出したのである。

そのなかでまさに対米改善の重要な一環としてブリンケンが2月5日と6日の日程で北京に訪問するということも決まった。しかも当時の報道では習近平自らがブリンケンとの会談に臨む予定だったのだ。

中国にとってブリンケンの訪中は対米改善の非常に大きな機会なのである。人民日報も2月1日から3日まで3日連続で米中関係の改善を訴える論文を掲載し、米中関係改善ムードをつくり出そうとしていた。

## 右往左往した末に行き着いた対露「野合外交」

しかし、まさに米中関係の改善の兆しが出てきた矢先、アメリカで中国のスパイ気球事件が発生したのだった。それでブリンケンの訪中が延期され、さらに2月4日に米軍によって中国のスパイ気球が撃墜されるという重大事件が起きた（この事件については後に詳述）。

そのため2月7日に秦剛は「アメリカ側が誤った道に従って暴走すれば必然的に衝突と

対抗に陥るだろう」と非常に激しい言葉でアメリカを批判した。外交の世界ではそんな言葉はほとんど使わない。しかし秦剛はアメリカに対して、そのように強い警告を発したのだった。

さらに2月21日に中国の外交統括のトップである政治局員の王毅がロシア訪問してプーチンと会談した。**アメリカがダメならロシアを向く**というのはわかりやすい動きだ。

習政権はスパイ気球事件が起こって対米関係改善を諦めたのである。となると再びロシアへの接近に傾斜する。王毅との会談の席上、プーチンは自ら「春には習近平さんがロシアを訪問することで我々は合意した」という話を持ち出した。それで習近平も春にロシアに行かざるを得なくなり、この時点でおおむねロシア訪問が決まった。

次に2月28日、王毅のロシア訪問から1週間後に米連邦議会下院の金融委員会では台湾に関する3つの法案が可決された。3つのうちの特に「台湾紛争抑制法案」は習政権が企む台湾軍事侵攻を徹底的に封じ込めるためのものだ。法律として成立すれば、習政権の台湾併合は難しくなる。

それに大変な危機感を募らせた習政権は、アメリカとの対決姿勢を一層強めたのである。

3月6日、習近平は共産党政治局常務委員の王滬寧、蔡奇らを率いて政協会議の経済界関連の分科会に出席し、中国の置かれている国際環境を語る文脈で重要講話を行った。すなわち、「アメリカを頭とする西側諸国は我が国に対して全方位的な封じ込めや包囲、抑圧を行い、我が国の発展に未曾有の厳しい試練を与えている」という異例のアメリカ批判を展開したのだ。

この時点で彼は以前の対米関係改善の外交方針から180度の転換を図ったと言える。対米関係改善を諦めて再びロシアと手を組んでアメリカと対抗するという道に走ることを決めたのだ。

このような流れのなかで習近平のロシア訪問が実現し、プーチンとの長い首脳会談の結果として共同声明を発表した。共同声明では両国は全面的戦略的協力関係の深化を目指して経済、エネルギー、一帯一路、人的交流など多方面における関係のより強化に合意した。同時に両国は団結してアメリカを中心とした西側の価値観の国際秩序に対抗して、新しい秩序をつくるという意欲を強く示した。

こうして習政権は軍事同盟以外のあらゆる面でロシアとがっちりと一体化する道を選び、しかもロシアと共同してアメリカと対抗する道を選んでしまったのだ。これが今回のロシア訪問の結果である。しかし一連の対米外交、対露外交の動きを丹念に見ていると、結局、習政権は最初から何か深謀遠慮のある一貫し成熟した戦略の下で対アメリカ、対露外交を進めてきたというわけでは決してない。

実際には習政権はその都度の状況の変化に流されて、ときにロシアに傾斜したり、ロシアとの関係がうまくいかなくなるとアメリカに傾斜したりしている。定見も戦略もなくそれこそ右往左往してやってきたという感じだ。

その意味ではロシア訪問にあたってロシアへの全面傾斜と対米共闘のいわゆる中露同盟には行かなかった。中露関係はこれで「同盟」ではなく「連盟」の結成となったが、2月初旬のスパイ気球事件以来、一連の流れのなかで生まれた結果だ。当初、アメリカとの関係改善を図りたかった。けれどもアメリカがどうしても中国を許さないということで、それが無理になって対立が深まってしまった。もうアメリカはいい、ロシアと手を組むということで、習近平はロシア訪問でプーチンと手を組んだ。

だから、そのような中露連盟は、例えば日米同盟のように深い信頼と強固な基盤のうえに成り立つ安定性のある関係ではない。常に時世に流されて変わっていく非常に不安定な関係で、一時的な気まぐれの関係でしかない。言ってみれば**野合**である。

実際、習近平はロシアでプーチンとの関係や中露の戦略的パートナー関係を深めたのに、ロシアが喉から手が出るほど欲しがっている本格的軍事援助に関しては今でも踏み切れていない。欧米を完全に敵に回すことを恐れているからだ。

結論的に言うと、中露連盟というのは、習政権が右往左往しあっちに行ったりこっちに来たりしている間にたどり着いた一時的な野合にすぎないのである。

## 最悪のタイミングで世界の指名手配犯を訪問

ロシアとの野合のために中国がこれから払わなければならない代償は決して小さくない。習近平のロシア訪問の直前の3月17日に国際刑事裁判所は国際法上の戦争犯罪にあたるとしてプーチンに逮捕状を出した。もちろん実際に逮捕できるわけではない。だが、国際裁判所から指名手配される犯罪容疑者になってしまったのは確かだ。

これは**中国にとって予想外の大誤算**だった。その逮捕状が出た直後、習近平はロシアでプーチンとの個人的な親密な関係、中国とロシアの緊密な関係をアピールし、全面的戦略関係の深化にも乗り出した。これでは戦争犯罪の容疑者と手を組む悪の仲間として国際社会に再認知されてしまうので、もともと悪い中国の国際的イメージが一段と悪化してしまうことにもつながった。

中国にとってもうひとつの予想外の誤算は、ロシア訪問に合わせたかのような（実は故意に合わせたのかもしれない）岸田文雄首相のウクライナ訪問が実現したことだ。これで岸田首相と日本は正義の味方になった。そのため同じ日にロシアを訪問した習近平と中国は悪の仲間であるという印象を、より一層強く国際社会に与えることになってしまった。

ゼレンスキーは来訪中の岸田首相に対して「日本は国際秩序の真の守り手」と言った。そのセリフにはどう考えても、同じ日にロシアに行ってプーチンと握手した習近平に対する風刺と批判が含まれていると思う。「真の国際秩序の守り手である日本に対して、中国は何をしているのか」ということだ。

中国とロシアとのどうしようもない野合は、結果的に中国が侵略国家のロシアと手を組んだことを際立たせ、それがアメリカのさらなる中国叩きと封じ込めを招くのである。

また今まで中国はアメリカと対立しながらも、できるだけヨーロッパとよい関係を保ってアメリカを牽制したいと考えていた。しかし今回、習近平がロシアに行ってプーチンと手を組んだことは、やはりヨーロッパとの亀裂も拡大させてしまうことになる。中国の国際的孤立はますます進むのである。

ただし中国にとって、ロシアの資源が手に入るとか、ロシアに対する投資も増えるといったメリットもないわけではない。しかし、しょせんロシアの経済規模は小さい。韓国以下である。今まではロシアには韓国より経済規模が小さいとしても、軍事大国としての地位だけはあった。今回のウクライナ戦争で、軍事大国であるという神話も崩れたのだった。

ロシアは完全に落ち目の国だ。いずれ二流国家になるだろう。そんな落ち目の国との野合によって欧米諸国を敵に回してしまうとすれば、中国は非常に大きなデメリットを被ってしまう。

ロシア訪問のときに習近平は「来年はロシアで大統領選があり、ロシア国民があなたを支持するだろう」と持ち上げた。プーチン政権の長期化も期待してのことだ。しかし個人関係を拠り所にロシアとの野合に走ったところで、もしプーチン政権も崩壊したとしたら、それこそ彼も中国もきわめて大きな打撃を受ける。

となると、欧米を失うと同時にロシアも失って、**習近平自身が世界の孤児**あるいは世界全体の敵になりかねない。

一貫した戦略も定見もなく、最悪のタイミングで世界の悪者の負け犬であるプーチンとロシアを助けに行ったというのは愚かというしかない。

## 中国によるマクロンへの慣例を超えた熱烈な歓迎

フランス大統領のマクロンとEU欧州委員長のフォンデアライエンが4月5日から7日までの日程で中国を訪問した。北京で習近平はこの2人と個別会談に臨み、三者会談も行った。しかし驚いたことに中国側は2人への待遇について終始、非常に大きな差をつけたのだった。

厚遇ぶりが際立ったのがマクロンに対してである。習近平は4月6日に北京で閲兵式を催し、人民大会堂で会談した後、夜には晩餐会を開いて会食をともにした。さらに7日には広東省広州市に場所を移して、そこでノーネクタイによる2回目の会談を行い、再び晩餐会を開いた。広東省は昔からフランスと関係の深い場所なのである。

それにしても首都の北京から賓客と行動をともにする形で他の場所にも出向き、2日間にわたって歓待するとはほとんど前例がない。北京だけの会談と晩餐会というのが普通だ。外交上の慣例をはるかに超えた熱烈な歓迎だった。

逆にフォンデアライエンには異例の冷遇ぶりだった。歓迎式典もやっていないし、晩餐会に招くことも1度もなかった。マクロンは2回も晩餐会に招いたのに、欧州委員長には

**「自分で飯を食え」**と言わんばかりの対応だった。

中国は外交儀礼をけっこう上手にやるはずである。抜かりがないように細かく気を配っている。そこには大国だという自負があるからだ。

ところがフォンデアライエンへの扱いは、最低限の外交儀礼をも無視した露骨な冷たいものだった。国家元首であるフランス大統領と、そうではない欧州委員長とはそもそも立場が違うので待遇に多少の差をつけても問題はない。それでも欧州委員長なのだから、待遇の格差は酷すぎた。欧州委員長の訪中をまるでフランス大統領のおまけのようにしか考えていない。欧州委員長を侮辱していると見

扱いがちがったマクロンとフォンデアライエン（新華社通信）

られてもおかしくない。

習近平のやり方は、だいたいそのようなものなのだ。今回も皇帝のような気まぐれでわがままな姿勢が出てしまい、それは**子供じみて**もいた。

非常に厚遇されたことにマクロン自身は喜んでいるとしても、欧州委員長はEUを代表して中国に来ているのに極端な差別外交での接し方をされたのだから、ヨーロッパ全体としても非常に屈辱を感じたはずだ。中国とEUとの今後の関係に禍根を残しかねない。

## 欧州委員長にヤクザの喧嘩を売った習近平

フォンデアライエンに対する習近平の態度は、形式面の待遇だけでなく内容面でも大いに問題があった。4月6日に行われた両者の会談でチンピラヤクザが喧嘩を売るような言い方をしたからだ。

習近平が会談で話した内容は人民日報に掲載された。それによると、「中国人民は自ら主権と安全と国益を守り、いかなる勢力であっても中国人民の幸福を求める権利を奪ってはならない」と言っている。まるで欧州委員長が中国人民の幸福を奪いに来たかのような物言いだ。「我々の権利を奪ってはならない」は喧嘩腰であり、失礼千万だ。

台湾問題での発言もびっくりするようなものだった。まず今までのように「台湾問題は中国の核心的利益のなかの核心だ」と述べたうえで、「中国はひとつという原則に誰かが言いがかりをつけるなら、中国人民と中国政府はそれを絶対に許さない」と断言した。

外国からの賓客を「許さない」というわけである。さらに「誰かが中国政府に台湾問題で妥協するのを期待するというのは単なる妄想だ」と言い、「それは、自分で石を持ち上げて、自分の足を叩くことになるだろう」と啖呵《たんか》を切ったのだ。

**「石で自分の足を叩くぞ」**というのは中国のチンピラヤクザがよく使う言葉なのである。こういう言葉自体、一国の元首が欧州委員長という国際的に地位の高い人物に対して発するべきものではない。

外交の首脳会談での言葉にはそれなりの規範がある。外交でなくても一般の社会人同士なら常識的な言葉遣いをするのが普通だ。それなのに外交でチンピラヤクザの喧嘩言葉が遣われたというのはいかにも酷い。

そんな言葉の遣い方である以上、もちろん話の内容でも欧州委員長に喧嘩を売ってしまったことになる。とすればEU自身を恫喝したに等しい。

フォンデアライエンの発言について人民日報にははっきりとは書いていない。想像するにヨーロッパ人だからけっこう穏やかで礼儀正しい言葉を用いて台湾問題を提起し中国の自制を求めたはずだ。

会談後の記者会見でのフォンデアライエンは、会談で激しい恫喝の言葉にさらされたのに一切怯《ひる》むことなく、「一方的な力による現状変更はすべきではない」と台湾問題について堂々と自分たちの意見を表明した。続けて「台湾海峡の安定が何より重要だ。平和と現状維持が私たちの明確な関心事である」とし、「緊張が生じた場合は対話を通じて解決しなければならない」とも語った。武力行使の可能性を捨てない中国を強く牽制したのである。

EUとしても売られた喧嘩に立ち向かう姿勢を明確にしたわけだ。その結果、少なくとも台湾問題をめぐっては中国とEUの対立が浮き彫りになって、かつ一層拡大した。

記者会見での発言からしても、フォンデアライエンは会談のなかでも同様に台湾問題を提起したのは間違いない。それに激怒して習近平は爆発してしまい、会談でチンピラヤクザの本性を剝《む》き出しにした。一国の指導者としてはまるでふさわしくない人物だということが顕《あらわ》になったのである。

## 会談での台湾問題発言を裏付けるための軍事演習

一方、台湾総統の蔡英文《さいえいぶん》は4月5日にアメリカ西部のカリフォルニア州で米下院議長のマッカーシーと会談した。下院議長は大統領の継承順位が副大統領に次ぐ2位の要職である。1979年の米台断交以降、台湾総統が米下院議長と会談したのは3回だけだ。前回の会談は昨年8月、当時の米下院議長のペロシの訪台だった。台湾総統がわずか8ヵ月の間に2度も米下院議長と会談したので、今回はそれだけ米台の接近が強調されるものとなった。

そんななか4月8日の午前中に人民解放軍の東部戦区が同日から台湾周辺で軍事演習を行うと発表した（この軍事演習は10日まで実施された）。そのとき東部戦区の報道官は「台湾独立勢力が外部勢力と結託して挑発したことへの厳重なる警告である」と発言した。「結託」は蔡英文とマッカーシーとの会談を指している。つまり軍事演習は、その会談に対する対抗措置だと示唆したのだ。

だが蔡英文とマッカーシーの会談は、以前から予定されていて誰でも知っていた。だから対抗措置だとすれば、人民解放軍もその会談の前、あるいは当日に軍事演習を行うと予告すべきだっただろう。実際には会談が終わって2日後の8日になって突然、軍事演習の実施を発表したというのはおかしい。とすれば習政権は当初、蔡英文とマッカーシーの会談への対抗措置として軍事演習を実施するつもりはなかった可能性が高い。

中国外務省と国防省は、両者の会談の翌日である7日に談話を発表した。外務省の談話には「これからも断固とした措置を取る」という表現があった。対して国防省の談話には具体的な措置を取るといった話は入っていなかった。にもかかわらず、8日になって突然、軍事演習をやると発表したのだった。

そうなったのは、習近平がフォンデアライエンとの会談結果を受けて軍事演習の実施を決めたからではないだろうか。つまり彼が会談で言った「誰かが中国政府に台湾問題で妥協するのを期待するというのは単なる妄想だ」を裏付けるために、軍事演習をやってみせたということである。

たとえそうではなかったとしても、欧州委員長との会談後に軍事演習を強行したのだから、台湾問題をめぐって中国とEU、さらには中国と欧米世界全体との対立はより一層深まった。

習近平は今回の対フランス外交では、お金に物を言わせるという今までけっこう使ってきた手で、すなわちエアバスを大量に購入することをエサにしてフランスの籠絡には成功した。かたや対ＥＵ外交では、欧州委員長との会談でＥＵ全体との亀裂は拡大してしまう結果となった。

いずれにしても対中国の立場からは、フォンデアライエンとの会談と軍事演習の強行によって、どうしても台湾併合を成し遂げたいという習近平の強い決意のほどがうかがわれたと言えるだろう。

# 第7章

# 台湾有事はいつ起きてもおかしくない

## 台湾侵攻に備えた党と軍の人事での布石

習政権はすでに対台湾「戦時体制」にある。2022年10月の中国共産党大会で誕生した新中央委員会が第1回全体会議を開き、党の指導部である政治局員を選出した。その24人の政治局員のなかでいくつか異例な人事があった。

ひとつは、軍の首脳の1人である張又俠《ちょうようきょう》の政治局員留任だ。彼は1950年生まれの72歳。本来ならばとっくに引退すべき年齢である。それが留任すると、77歳になるまで5年間、現役の政治局員を務めなければならない。今の共産党ではこれはきわめて異例な人事である。

党大会以前の政治局では、許其亮《きょきりょう》と張又俠の2人の軍服組が同じ年の72歳として務めていた。張又俠だけが新しい政治局に残ったのは、いったいなぜなのか。

実は2人には大きな違いがある。陸軍出身の張又俠には戦争の実戦経験があるのに対し、空軍出身の許其亮にはそれがないということだ。1979年に中国は自衛反撃と称してベトナムに軍事侵攻を行った。そのとき張又俠は団長（連隊長）として部隊を率い、ベトナムで戦って勇名を挙げた。

1950年初めの朝鮮戦争以後、許其亮所属の中国空軍は実戦で戦った経験は1度もない。だから、張又俠が高齢にもかかわらず政治局に残ったのは、やはり軍人として実戦経験のあることが買われたのではないかと考えられる。

党大会以前の共産党の中央軍事委員会において、許其亮は軍服組のトップとして委員会の筆頭副主席を務めていた。その引退に伴って新しい中央軍事委員会では、張又俠が筆頭副主席となって主席を支える軍人のトップとなった。つまり、中央軍事委員会主席という人民解放軍最高司令官でもある習近平としては、どうしても**実戦経験のある将軍を自分の身辺において使いたい**のである。

では、実戦経験のある将軍を使いたいのは何のためか。可能性の高い理由は、国のトップが戦争に備えたい、あるいは戦争をしたいということだろう。したがって習近平が異例の人事を断行したのも、まさに戦争を強く意識したための措置だという推測が成り立つ。

党大会後の共産党政治局におけるもうひとつの異例の人事は、軍人の何衛東《かえいとう》のびっくり仰天政治局員昇進である。

中国共産党の指導体制では、まずは200人以上の委員からなる中央委員会があって、そのうえには二十数人の委員からなる政治局がある。さらに上に政治局常務委員会がある。

党の高級幹部の昇進では、普通はまず中央委員会の候補委員になり、次に中央委員に昇進し、運がよければ政治局員へと昇進していく。中央委員にもなっていない人間がいきなり政治局員になることは普通あり得ない。

ところが今回の政治局への昇進は、まさにそのあり得ないケースだった。党大会以前の何衛東は中央委員会の候補委員にすらなっていない。つまり、党大会後の政治局員に何と**2段跳びで抜擢された**のである。このような異例中の異例の人事を断行できるのは習近平しかいない。

何衛東は政治局入りと同時に党の中央軍事委員会の副主席に就き、張又俠と並んで軍服組のトップとなったのである。

何衛東は党大会直前の昨年9月までの約3年間、人民解放軍東部戦区司令官を務めていた。誰もが知っているように、台湾海峡を望む浙江省・福建省などを含む東部戦区はまさに対台湾の最前線なのである。その人物を政治局員・軍事委員会副主席に大抜擢した理由はもはや明々白々である。まさに台湾侵攻に備えるために、東部軍区司令官だった何衛東を抜擢してきたのだ。

これで共産党指導部の政治局と軍司令部の軍事委員会に、実戦の経験のある張又俠と対台湾軍事を熟知している何衛東が習近平を支える体制ができ上がった。台湾侵攻に備えた戦時体制づくりと言うべきである。

## 全軍に「戦争の準備を強化せよ」と大号令

さらに、党大会後の政治局構成には戦争を匂わせる別の人事もあった。遼寧省共産党書記の張国清《ちょうこくせい》と浙江省党書記の袁家軍《えんかぐん》の2人の政治局員昇進である。2人とも政治局入りした以上、党と中央政府の要職に就くはずだ。

張国清は以前から中国の軍事産業で長く働いた経歴があり、軍事産業の中核企業であらゆる武器をつくってきた中国兵器工業集団公司の総経理（社長）にもなった。

袁家軍は大学卒業後にまず中国航天工業部第五研究院に配属されてミサイル設計の技術者として長く務めた。1990年代半ばからは中国航天科技集団公司第五院副院長・院長、公司全体の副社長を歴任した。同社の前身は国防部第五研究院であり、戦略・戦術ミサイルの設計・製造を担当する中国軍事産業の一翼を担う企業である。

張国清と袁家軍はともに**中国の軍事産業に長く携わってきた**わけだ。その2人が今回の政治局人事で共産党指導部に入ったのはやはり尋常ではない。これまた習近平による戦時体制づくりの一環だろうと思われる。

要するに、実戦経験のある将軍と対台湾軍事を熟知する軍人の2人を政治局と軍事委員会の中枢に配置したうえで、政治局には軍事産業のことがよくわかる2人を抜擢したのである。これも台湾侵攻のための人事であって、まさにそれは戦時体制づくりそのものだ。

また党大会閉幕から約2週間後の昨年11月8日、習近平は中央軍事委員会の委員たち全員を率いて人民解放軍の統合指揮センターを視察し、全軍に対して**「全力を上げて戦争の準備を強化せよ」**と大号令をかけた。これは世界中のメディアが注目して報じたところである。

彼はやはり台湾侵攻に対してやる気満々だ。経済が沈没して失業が拡大し国内に社会的不安が広がるなか、そうした国内危機克服のためにますます対外戦争に傾くだろう。対外戦争で国内経済を戦時統制へ持っていけば、経済全体の崩壊もある程度食い止められると考えている。今後5年以内に台湾侵攻をする腹づもりなのかもしれない。

なお、人民解放軍トップの中央軍事委員会主席も兼務している習近平が「2035年までに国防と軍隊の近代化を実現し、今世紀半ばまでに世界一流の軍隊をつくり上げる」と表明したのは2017年10月の党大会だった。

その前提となった人民解放軍の改革は2015年11月の中央軍事委員会改革工作会議で決定された。このときの基調講演でも彼は「人数や規模を重視する軍隊から質と効率を重視する軍隊への転換を推進する」と力説している。

改革の最大の柱は、中国全土で7つに分かれていた軍区を5つの戦区へと編成替えすることだった。7つの軍区とは瀋陽、北京、蘭州、済南、南京、広州、成都で、5つの戦区は北部、中部、東部、南部、西部である。この編成替えが完了したのは2016年2月だった。

## 米糠・籾殻を国民の食料にする新国策の狙い

1月19日、「国家衛生と健康委員会」の公式サイトは、全人代の委員会が提出した「米糠の人類食用回帰促進と国民栄養の向上に関する提議」に対して同委員会の回答を掲載した。

政府方針であるこの回答では「現在、米糠は主に飼料として使用されている。だが近年、国家衛生と健康委員会としては各関係部門と協力のうえ、米糠産業の発展を推進し、米糠の栄養価値の発掘を行い、それによって食料の有効利用と国民の栄養・健康の向上に寄与する考えである」と述べている。さらに、「米糠だけではなく籾殻、麦ふすまなども食料として使用する技術を開発し食料の総合利用率を高めていく」とも付言している。米糠、籾殻、麦ふすまを食料として国民に食べさせる新国策が登場したことになる。

では、国家衛生と健康委員会は食料問題の委員会ではなく健康に関する委員会であるのに、なぜこの話を担当したのか。そこには**実に手の込んだ工作があった**のだ。

もともと、このような国策を出したら、必ず国民の反発を招くことが予想できる。だから、その国民の反発を見込んだうえで全人代の代表に提議させ、国家衛生と健康委員会に国民の健康増進という大義名分の下で回答させた。こうして、この政策が決して食料問題に対処するものではなく、国民の健康増進のためだということを示したのだった。

一方、政府の発表では、昨年までに中国の食料生産は19年連続で豊作で、昨年の生産量は過去最高の６億８６５３万トン（国民１人あたり４８７キロ）に達している。

とすれば、19年間連続豊作なのに米糠や籾殻を食料として国民に推奨する国策が登場したのは、いったいなぜなのか。この疑問を解くひとつの鍵は習近平の発言にある。

昨年3月6日、彼は政協会議の農業関係分科会に出席し、食料問題を大いに語った。まず「悠々とした万事、飯を食うことは何よりも大事」と述べ、「中国は自力更生で自国の食料安全を確保するしかない。食料問題は戦力問題だ」と強調した。同時に「食料安全の確保のため、各地方政府に生産量のノルマを課し耕地面積の絶対確保を厳命している」とも言明した。

ここで強調する「自力更生による食料安全」の背景には、中国が毎年食料を海外から大量に輸入している事実がある。2021年に中国の食料輸入量は前年比18・1%増の1億6453万トンとなって過去最高を更新した。これは国民1人あたり100キロ以上になる。

現状では中国の食料安全は輸入によって確保されている。だが、外貨の不足や戦争の勃発によって輸入が大幅減するか、あるいは途切れてしまう可能性もある。

中国が主に食料を輸入している国はアメリカ、カナダ、オーストラリアだ。もし中国の台湾侵攻をきっかけに、それらの国々の経済制裁発動によって食料輸入が大きく減少した場合、中国国内では食料危機が起こる。裏を返すと、「自力更生による食料安全」とそれに基づく「米糠食料化の国策」は、未来の台湾侵攻を強く意識した措置である可能性が濃厚なのである。

## 台湾侵攻向けの立体的・総合的国防動員体制の構築

今年1月に入って中国各地では「国防動員弁公室」という機関の設立が相次いだ。この機関は各地の共産党委員会・政府・軍の要員から構成される三位一体の組織で、遂行すべき任務は「立体的・総合的国防動員」となっている。

国防動員弁公室はまず1月5日に北京市で設立された。以後、それが9日に黒龍江省ハルビン市、11日に内モンゴル自治区フフホト市、13日に武漢市、17日に内モンゴル自治区赤峰市、23日に私の出身地の四川省、29日に四川省自貢市で相次いで設立されたのである。31日になると人民解放軍の解放軍報が「戦争型国防動員の新しい構図を構築せよ」という論文を掲載した。この論文では、各地で国防動員弁公室の設立が続いていることを踏まえ、「相手に破滅的打撃を与える戦争遂行のためには、我々は軍事力だけではなく国家・国民が持つ経済力、技術力、情報力、文化力などすべての力を総動員して立体的な総合戦争を展開する必要がある」と説いている。そのうえで「立体的・総合的国防動員体制の構築が急務だ」と断言しているのだ。

今回の国防動員弁公室設立ラッシュは、習政権による「戦時体制づくり」の重要な一環だと見てよい。しかも、その矛先が向けられているのは、やはり台湾である。すでに習政権における台湾侵攻の準備は着々と進行している。

## 中国の対米関係改善が期待されたブリンケンの訪中

前述したように2月4日にアメリカの領空で中国のスパイ気球が、米軍によって撃墜されるという大事件が起きた。アメリカにとっては、領空が外国の飛行体によって侵犯されるという第2次世界大戦以来の重大危機である。中国にとっては自国の飛行体が外国軍によって撃墜されたという朝鮮戦争以来の重大事件である。

このスパイ気球事件が起きた結果、直後に予定されていたブリンケンの訪中が延期され、米連邦議会では中国非難が高まって、米中関係はより一層悪化した。今後、バイデン政権による対中国技術封鎖はさらに厳しくなると予想され、米中対立も深まっていく見通しである。

スパイ気球を放った中国側は、どうしてこのタイミングで米中関係を壊すような挙動に出たのか。昨年秋から今年2月にかけて習政権はむしろ米中関係改善を積極的に進めてきていた。習近平は昨年10月の中国共産党大会で個人独裁体制を固めて政権の3期目をスタートさせてから、国内経済の立て直しと国際的孤立からの脱出のため、悪化している対米関係の改善に乗り出したのである。

まず昨年11月14日、彼はバリ島で国際会議参加の機会を利用してバイデンと3時間にわたる首脳会談を行った。会談のなかで彼は「共に両国関係を健全で安定した発展軌道に戻す努力をしたい」と語り、関係改善と対話継続の意欲を示した。12月30日には今年3月開催の全人代を待たずに異例の閣僚人事を行い、前駐米大使の秦剛を外相に任命した。

秦剛は外相に就任した2日後の今年元旦、さっそくブリンケンと電話会談をして新年の挨拶を交わし、「米中関係の改善・発展させていきたい」と語った。ブリンケンとの電話会談の9日後、秦剛は本来いちばんの友好国であるはずのロシア外相とも電話会談を行った。そのなかで秦剛はロシア側に対して、今後の中露関係の原則として「同盟しない、対抗しない、第三国をターゲットとしない」という「3つのしない」方針を提示した。これは明らかにアメリカを中心とした西側に配慮したロシアとの関係見直しの動きであって、習政権の対米改善外交の一環であることは前述した通りである。

そうしたなか、ブリンケンの2月訪中が双方の間で決定され、2月5日と6日の日程で北京を訪問する予定となった。さらに英紙フィナンシャル・タイムズは、北京訪問中に習近平と会談する予定であるとも伝えた。中国側はブリンケン訪中をきわめて重要視し、それを対米改善の大事な1歩だと位置付けていたのだ。

実際、訪中の直前の2月1日から3日までの3日間、人民日報は第3面で米中関係に関する「鐘声」というペンネームによる論評を掲載した。3本の論評では米中間の「経済協力関係の深化」や「ウインウイン関係の構築」を訴えたほか、「米中関係を健全・安定の軌道に戻そう」とアメリカ側に呼びかけたほどだ。中国語では「鐘声」の「鐘」という字は「中央」の「中」と同じ発音なので、「鐘声」というペンネームの意味が「中央（政府）の声」なのは**中国国内での常識**だ。

このように習政権は多大な期待を抱きながら、世論上の準備も整えてブリンケン訪中を迎えようとしていた。ところがブリンケン訪中の直前になって中国の放ったスパイ気球ひとつで、それが延期されることとなった。スパイ気球がアメリカ側に撃墜されたことによって中国の対米姿勢がさらに厳しくなる一方、習近平のメンツも丸潰れとなり、米中関係はより一層悪化する方向へと転じたのだった。

## 対米改善を頓挫させたスパイ気球事件の裏に軍の妨害?

習政権は結果的に自ら推進する対米改善を自ら起こしたスパイ気球事件によって〝タイミングよく〟潰してしまった。この**信じられない自己矛盾と支離滅裂の事態**が起こった裏には何があるのか。

その可能性のひとつは、スパイ気球事件は習近平あるいは最高指導部の意思によって引き起こされたのではなく、政権内のなにがしかの勢力がタイミングを見計らって中国の対米改善外交の潰しに取りかかったのではないか、ということである。

スパイ気球を放ったのは人民解放軍である可能性が高いので、対米改善外交の潰しに暗躍したのも人民解放軍ではないかとの推測も成り立つ。だからスパイ気球事件に対する人民解放軍の反応を見る必要もある。その前に、対米改善の先頭に立つ中国外務省の一連の反応を吟味して軍の態度を見るための参考にしておこう。

最初、中国外務省のスパイ気球事件への対応はかなり混乱していた。スパイ気球がアメリカで発見された翌日の2月3日午後、中国外務省報道官の毛寧《もうねい》は定例の記者会見で記者の質問に対して「私は関連の報道に留意した。中国側は事実関係の確認中である」と答えた。つまり彼女の話では、外務省は事後にスパイ気球のことを報道で知ったため、「事実関係の確認中」以外に何も答えられなかった。

3日夜の21時すぎに中国外務省は、記者会見では実際にはなかったはずの「報道官の答え」を単独で公式サイトに急遽掲載して気球が中国のものだと認めた。同時にそこで「民用の気象探査気球が不可抗力によって間違った軌道に入った」というウソの発表を行ったのだ。

スパイ気球がアメリカで発見されたときに中国政府内で事前に「打ち合わせ」が行われたのなら本来、毛寧は3日午後の記者会見でそのような答えを言ったはずである。だが、「事実関係確認中」と言った3日午後の時点では、外務省は本当に何が起こったのかを知らされておらず、答えに窮したわけである。

だから、記者会見後に初めて「打ち合わせ」が行われたのだろう。要するに中国外務省は最初、蚊帳の外に置かれていたため、どう対応すべきかわからずにかなり混乱したのだった。つまりスパイ気球事件に関しては、**最初から習政権は統一した指揮下で各部門が歩**

**調を合わせた行動をしていなかった**ということだ。

さらに、もうひとつ注目すべきなのは、スパイ気球事件が発生してから中国外務省がアメリカへの批判と抗議を繰り返しながらも一貫して反発のトーンを弱めて対米外交改善の余地をできるだけ残そうとしていることだ。

例えば2月3日夜の外務省発表では、中国側は気球が「間違ってアメリカに入った」ことに対し「遺憾」として、同時に「アメリカ側との意思疎通を保ちたい」とも表明した。2月4日には王毅がブリンケンとの電話会談で、この1件に関してはアメリカとの間で「随時の意思疎通を通して対立をコントロールしたい」という姿勢を示したのだった。

アメリカによるスパイ気球撃墜に対して、2月5日に中国外務省の謝鋒副部長(副大臣)はアメリカ大使館に「厳正なる抗議」を申し入れた。ただし注目すべきなのは、アメリカ大使などを中国外務省に呼び出して抗議したのではないという点だ。「抗議」において彼は「必要な反応をする権利を保留する」と語るとともに、アメリカ側に対して「これ以上、緊張を拡大させてはならない」と求めたのである。自国の気球が撃墜されたのに、むしろ事態を早期に終息させることで緊張拡大を避けたいという**中国外務省の本音**がにじんでいる。

## 習政権内で外務省と国防省の姿勢の違いが明確になった

2月6日、毛寧は記者会見で「米中関係を安定させ・改善させるためのアメリカ側の誠意が試される」と語った。それは明らかにアメリカ側が誠意さえ示してくれれば、中国側は関係改善を推進したい、という**遠回しのメッセージ**である。

同月7日にはバイデンが米連邦議会の一般教書演説で対中問題に言及したことを受けて、毛寧は8日の記者会見で「アメリカは中国と共に米中関係を健全・安定の軌道に戻すべきである」と語り、依然として関係改善への意欲を示していた。

習近平が対米改善の切り札として任命した秦剛は、今回のスパイ気球事件に対して基本的に沈黙を守った。それもやはり新外相による対米批判を避けて、米中関係の改善へとつなげるためだろう。

スパイ気球事件への対応において習近平・秦剛ラインの外交部門は、一貫してできるだけ柔軟姿勢を保ち、対米改善路線を継続させたい思惑である。対して異様な対応ぶりを示しているのが国防省である。

2月4日にアメリカによる気球撃墜の事態を受け、中国国防省報道官も談話を発表して

「厳重なる抗議」を行った。同時に「類似する事態に対して必要な手段で処置する権利を保留する」とも発言した。この発言は明らかに、もしアメリカ側の気球などが中国に飛んでくるような「類似する事態」が発生した場合、人民解放軍はそれを撃墜するといった「必要な手段による処置」を行う用意があるという意味である。

つまり中国国防省は、軍事手段による対米報復を強く示唆した。それは中国外務省の「反応する権利の保留」よりも1歩進んだ強い表現だ。しかも、この発言は、理解の仕方によっては「誤って入った気球の撃墜は不当である」という中国外務省の主張を事実上否定するものでもある。同じ習政権の下で**外務省と国防省の姿勢の違いが明確**になったのである。

2月7日、米国防総省報道官は「気球撃墜の直後に中国国防相との電話会談を申し込んだが断られた」と発表した。これは習近平指導部の意思として断ったのか、国防相（あるいは軍）が自らの判断で断ったのかは不明である。ただし中国外務省が一貫して主張している「意思疎通」という姿勢とは明らかに矛盾している。またもや政権内での乱れが露呈したのだった。

もし電話会談の拒否が人民解放軍の意思であるならば、ブリンケン訪中直前のタイミングでスパイ気球を放って対立をつくり出し、対米改善潰しに取りかかったのがまさに人民解放軍である可能性はさらに高まっていく。

同月8日、外務省の毛寧は定例の記者会見で「どうして中国国防相はアメリカ側との電話会談を拒否したのか」と問われると、**「それは国防省に聞いてほしい」**と即答して突き放した。「国防相のやることは私たちの知ったことじゃない」と言わんばかりの異様な反応である。そこに国防省と外務省との齟齬《そご》のあることは明々白々だ。

9日、国防省報道官は「談話」を発表し、「対話の雰囲気にない」との理由で電話会談拒否の姿勢を説明した。併せて「類似する事態に対して必要な手段で処置する権利を保留する」と対米報復を再び示唆した。しかし国防省＝軍は「対話の雰囲気にない」と明言した以上、外務省としても当面、アメリカ側との対話を模索しにくくなる。とすれば国防省＝軍は、この談話で外交ラインが依然として希望している対米改善の道を封じ込めようとしているのである。

スパイ気球事件への対応において中国の外務省と国防省は互いに歩調を合わせることなく別々で行動し、それぞれの姿勢にも明らかな違いが生じてきている。こうした政権内不一致と国防省の強硬姿勢の背景にはやはり、習近平が秦剛を使って進めている対米改善に対する不満と反発を持つ人民解放軍の暗躍があると考えられるだろう。

したがって、やはりスパイ気球事件は**対米改善を妨害しようとする人民解放軍**によって引き起こされた可能性が否めない。もしそうであれば、軍を含めた習政権は今後ますます危険な方向へと走っていくのではないだろうか。

## 強調される軍事委員会主席への絶対忠誠

2月14日に人民日報は1面で、中国共産党中央軍事委員会弁公庁が「軍事委員会主席責任制に関する学習・教育規画」と題する公式文書を全軍に配布したと報じた。

1980年代に鄧小平が軍事委員会主席に就任して創設された軍事委員会主席責任制は、当時改正された憲法にも盛り込まれた重要制度である。これは「全国の軍事力は軍事委員会主席の統一指揮下にあり、国防と軍に関する一切の重要な意思決定は、軍事委員会主席によって行われる」というものだ。

習政権になって個人独裁体制強化のために軍事委員会主席責任制が盛んに唱えられた時期はあった。だが、この制度が定着化し個人独裁が確立したなかで、ことさらには強調されなくなった。

そういう状況での「学習・教育規画」の配布だったので、注目される動きとしてとらえられている。この文書は軍事委員会主席責任制の重要性を強調すると同時に、その重大な意義を深く理解し、絶対的な忠誠心と絶対的な純潔さを持って、党中央・軍事委員会・習近平の指揮に従わなければならないと全軍に求めたものである。

しかし今さら軍事委員会主席責任制の重要性を強調して絶対忠誠を求めることは、逆に制度に乱れが生じたり、絶対的忠誠が動揺したりしているような不穏な動きがあることを強く示唆している。

そのひとつとして前述した「人民解放軍が対米改善外交を潰すためにスパイ気球を放った」という説からすると、このタイミングで全軍に向かって絶対忠誠が強調された理由にも合点がいくだろう。

裏を返すと、個人独裁を確立したはずの習近平の軍に対する絶対統制にすでに隙間が生じてきている可能性が高いということなのである。

## 習政権のアメリカ猛批判を招いた「台湾紛争抑制法案」

すでに述べたように3月6日、習近平は政協会議に出席して対米批判発言を行った。それまで彼自身はアメリカを名指しして批判することはほとんどなかった。昨年8月のペロシ訪台や2月の米軍による気球撃墜に際しても習近平は一切発言せず、対米批判はもっぱら中国外務省のレベルで行われた。今回、政協会議という公の場で自らアメリカを名指しして批判したというのは、まさに異例のことである。

翌3月7日、中国外務省の秦剛は全人代関連の記者会見を行い、1時間50分にわたって14の質問に答えた。米中関係、台湾問題、インド太平洋戦略、一帯一路について語る場面では終始一貫、アメリカを名指しで批判した。なかでも特に注目すべきなのは以下の対米発言である。

「アメリカは中米関係にガードレールを設置して衝突してはいけないと言う。しかしもしアメリカ側がブレーキを踏まないで誤った道へと暴走すれば、いくら多くのガードレールがあっても脱線と横転を防止できない。必然的に衝突と対立に陥るだろう。その災難的な結果の責任を誰が負うか」

この発言はおそらく米中国交樹立以来の両国関係史上、中国の外相がアメリカに対して行った最も激しい批判である。「衝突と対立」や「災難的な結果」という際どい言葉は、明らかにこのうえなく強い警告であり、一種の最終通告だとも理解できよう。

よく考えてみれば、アメリカ主導でクアッドなどの戦略的封じ込めや台湾支援、先端技術禁輸などを、この数年間ずっと継続してきた。別に今さら始まったことでもない。では、どうして今、習近平・秦剛ラインは対米批判・警告を発することとなったのだろうか。

原因のひとつは、2月4日に中国のスパイ気球が米軍によって撃墜された事件にあると考えられる。スパイ気球は人民解放軍による妨害工作の可能性もあった。いずれにせよ結果的には習政権の対米改善外交は中断し挫折したのだった。秦剛は前述の記者会見でも、やはり「気球事件」を取り上げてアメリカを厳しく批判した。

とはいえ、それだけではアメリカへの最終通告の真意は理解できない。実際、スパイ気球事件が起きたときには何も発言せずに対米批判を避け、関係改善の余地を残したはずだった。今になって**全面的なアメリカ批判に踏み切った**のはなぜか。また、「アメリカ側がブレーキを踏まないで誤った道へと暴走すれば」との対米批判の「暴走」という言葉は何を指しているのか。

実はこの秦剛発言の1週間前の2月28日、米連邦議会下院の金融委員会では、台湾に関する3つの法案を圧倒的な多数で可決した。「台湾紛争抑制法案」「台湾保護法案」「台湾差別禁止法案」である。いずれも中国の台湾抑圧に抗して台湾を支援し、中国の台湾侵攻を抑制するための法案だ。そのなかで特に注目すべきなのは台湾紛争抑制法案である。

というのはこの法案には、アメリカ財務省に対して中国共産党幹部とその親族たちの在米資産の調査を求める条項と、アメリカ金融機構に対して中国共産党幹部とその親族たちに金融サービスの提供を禁じる条項が含まれているからだ。

アメリカンボイスの中国語ウェブが報じたところによると、法案の提出者であるフレンチ・ヒル下院議員は法案提出の意図についてこう語った。「法案は中国共産党幹部に次のことを知らせようとしている。台湾を危険にさらしたら、彼らの財産状況が中国国民の知るところとなり、彼らとその親族は厳しい金融制裁を受けるだろう」

つまり台湾紛争抑制法が成立すれば、中国が台湾侵攻に踏み切った場合、中国共産党幹部とその親族たちのアメリカでの隠し資産が白日の元に公開されてしまうだけでなく、その資産が制裁の対象となって凍結・没収される可能性もある。それによって中国の台湾侵攻を阻止するのがまさに法案の狙いだろう。中国に対して大変に威力のある戦争阻止法になるに違いない。

## 中共高官の隠し資産の凍結・没収が最大のアキレス腱

台湾紛争抑制法が中国に対して威力を発揮するのは、共産党政権を支える高官たちの大半（あるいはほとんど）が**アメリカに隠し資産を持っている**からである。これは**「公然の秘密」**だ。台湾紛争抑制法によって隠し資産が凍結・没収される可能性が生じてくると、中国共産党幹部たちにとっての死活問題となる。

２０２１年7月26日、中国の外務次官の謝鋒は中国の天津で米国務副長官のシャーマンと会談した。そのなかで謝鋒が**「やめてほしいことのリスト」**をアメリカ側に手渡したことが明らかになっている。リストの筆頭にあるのが「中国共産党員とその親族に対する入国ビザの制限をやめること」である。中国共産党の幹部たちはアメリカに虎の子の財産を持っているので、彼らとその親族のアメリカ入国に対する制限は共産党政権全体の大問題なのである。だからこそ、それがアメリカに「やめてほしいことのリスト」の筆頭に上がっているわけで、中国共産党政権のアキレス腱がどこにあるのかを暴露しているようなものでもある。

したがって台湾紛争抑制法案がアメリカの国内法として成立すれば、中国共産党政権の高官たちは、自分たちの財産を守るために習近平の企む台湾侵攻を全力を挙げて妨害し阻止しなければならない。それはまさしく「法案」の狙うところである。

もちろん、これで習近平は大変な窮地に立たされることとなる。法案が法律として成立した後で台湾侵攻を強行すれば、軍幹部を含めた共産党政権の幹部たちのほぼ全員を敵に回してしまうし、さまざまな形の妨害を受けることが予想される。極端な場合、幹部たちの集団的反乱を招く可能性さえある。だが台湾併合を断念してしまえば、習近平にとっては歴史的な大敗退であって自らの権威失墜と政権の弱体化を招きかねない。まさに**「進むも地獄、退くも地獄」**なのである。

だからこそ前述の法案が米連邦議会下院の金融委員会で可決された直後から、習近平と秦剛は激しい言葉で異例の対米批判を行い、「アメリカ側がブレーキを踏まないで誤った道へと暴走すれば、（米中関係は）必然的に衝突と対立に陥る」との前代未聞の警告も吐いたのだった。ここでいうアメリカ側の「暴走」とは、まさに台湾紛争抑制法案の金融委員会可決と法律化への動きであると理解できよう。

この法案は今後、米連邦議会の下院と上院において可決・成立する可能性は非常に高いと思われる。それを何とか阻止したいのが習政権の本音だろう。つまり、台湾侵攻に関する習政権の最大のアキレス腱のひとつが目に見える形で暴露されたのである。

アメリカだけでなくEUと日本が歩調を合わせて、中国の台湾侵攻を敢行したときには中国共産党幹部とその親族の在外資産の凍結・没収を法的に定め、それを高らかに宣言しておくことは間違いなく台湾侵攻を抑止する力となるだろう。

## 中国の台湾併合に大義名分を与える馬英九の危険発言

台湾の前総統で国民党の元主席だった馬英九《ばえいきゅう》は3月27日から11泊12日間の日程で中国大陸を訪問した。台湾の総統経験者が中国大陸を訪問するのは初めてのことだ。彼は南京、武漢を経て、父親の故郷である湖南省で先祖の墓参りをし、重慶、上海を訪問して台湾に帰った。

そのなかで私が注目したのは次の発言である。3月28日午前、彼は最初の訪問先の南京で中国の近代革命の父にして中華民国を創設した孫文《そんぶん》の墓である中山陵《ちゅうざんりょう》に参拝した。そこで「台湾海峡の両岸の人々はみんな中華民族であって、ともに炎帝および黄帝の子孫だ」と発言したのである。

炎帝も黄帝も中国の『史記』などの歴史書に記載されている本当にいたのかどうかわからない中国を代表する昔の王様だ。炎帝も黄帝も中国人の先祖だと認識されている。だから馬英九も発言のなかで引き合いに出した。

さらに特に注目すべきなのが「中華民族」というキーワードである。馬英九は3月30日に武漢で中国共産党・中国国務院の台湾事務弁公室主任、つまり中国の対台湾事務のトップである宋濤《そうとう》と会談し、そのなかでまた「中華民族」という言葉を持ち出した。「両岸の人々は血縁や言葉、歴史などを共有しており、同じ中華民族に属している」と述べて、再び**台湾人も中国人もみんな中華民族である**という認識を強調したのだ。

これに宋濤も「両岸の同胞はみんな家族である。ともに中華民族の全体利益を守って団結して中華民族の偉大なる復興のために奮闘せよ」と答えた。台湾の前総統と中国共産党の幹部が以心伝心の阿吽《あうん》の呼吸で「我らはみんな中華民族だ」と合唱した。「我々はみんな中華民族」というのが両者の共通認識なのだ。

だが、それは**非常に危険な考え方**である。そもそも中華民族という民族が存在したことは昔も今もない。中国には漢民族、チベット民族、ウイグル民族など多くの民族がいても、中華民族などどこを探してもいない。

中華民族という言葉は近代になってから生まれた。漢民族を中心にして周辺のいろいろな民族を同化して支配するための**虚構の政治概念**なのである。中華民族という虚構の概念のなかにどんな民族でも勝手に入れてしまおうというのだ。

例えばチベット人はチベット人であるのに、チベット人に対して「あなたたちは中華民族だ」と押し付けて勝手にチベット人を中華民族にしてしまう。

馬英九が孫文の墓の前で中華民族という言葉を使ったのは、まさに孫文こそ中華民族という思想の提唱者だからである。孫文はこう明言した。「漢族をもって中心となし、満蒙回蔵四族を全部我らに同化せしむ」。満蒙回蔵とは順に満州族、モンゴル族、ウイグル族、チベット族のことだ。公然と四族を漢族に同化させるべしと言った孫文は中華思想の塊なのである。

中華民族は漢民族が周辺の民族を同化し支配するための一種の思想的道具であって、昔の中華思想の近代における翻案だ。その孫文たちの中華民族という概念は見事に今の中国共産党政権、中華人民共和国にも受け継がれ、さらに発展している。

中国には全国に漢民族以外に55の民族がいる。これらの民族に「お前たちは中華民族だ」と中華民族を押し付けるというのが今の中国のやり方だ。押し付けることで彼らに対する**侵略と支配を正当化**している。

もしチベット人が独立民族ならば、中国が彼らの土地を占領するのは侵略になる。しかし中国の言い分は、チベット人を中華民族と認定することによって中国のチベット侵略はもはや侵略ではなくなって同じ民族の中の統合、祖国の統一という話になる。

理論的に言えば、中華民族という考え方が非常に危険なのは、どこの民族でも中国は勝手に「お前たち中華民族だぞ」と認定さえすれば、その民族に対する侵略が正当化されるということだ。

例えば中国が日本を侵略したならば、強引に**「大和民族も中華民族だ」**と言うに違いない。この論理からすれば、中国が台湾を併合することも正当化されるのだ。台湾人も中華民族であるなら、台湾を侵略するのも占領するのも併合するのも当然だとなる。中華民族という概念は、中国共産党による台湾併合の一種の理論的拠り所にほかならない。

中国共産党が台湾も含めて周辺を侵略するために中華民族という論理を持ち出すのはもちろん傲慢なことである。だが、侵略されそうな台湾の人間が同意するのはとんでもない話だ。つまり、「侵略しにやって来い」と言うのだから、きわめて危険な判断である。

馬英九は中国訪問中にことさらに「我らは中華民族だ」と強調し、このコンセンサスに基づいて中国共産党高官と対話した。まさに馬英九は中国共産党の台湾併合に対して同意したことになる。それは中国共産党の台湾併合に大義名分を与えてしまうと言っていい。

その理屈を馬英九が知らないはずがない。危険性を知っていながら、中国共産党に迎合して「我らは中華民族だ」と言った。これは「同じ中華民族なら中国と台湾が分断されている状態はよくない。台湾が中国に併合されても当然のことだ」という意味になる。馬英九は、中国共産党の台湾併合や台湾侵攻への助け舟を出したのである。許されざることだ。

## 孫文の亡霊と中華民族というウソとの決別が台湾の課題

中華民族という概念は戦争や侵略を内戦へとすり替えてしまう面もある。

中国共産党政権が台湾に対して併合を目指して武力を行使しても、もし台湾がこの概念を認めていれば、併合による民族の統一は台湾人と中国人双方の合意なのであって、武力行使は戦争でも侵略でもなく同じ民族の内戦にすぎないと強弁することができる。

内戦なら国際法による侵略の断罪を回避することも可能になり得る。また同じ民族の内戦だから、アメリカも諸外国も干渉すべきではないとして制裁を回避できるかもしれない。場合によっては、中華民族という概念が習政権の**台湾侵攻に免罪符を与えてしまう**のである。

そういうことからすると私には、習政権が着々と準備を進めるなかで台湾併合の一環として馬英九を大陸訪問に誘い出したとしか思えない。それは台湾の前総統であり国民党の元主席の彼の口から「両岸の人々はみんな中華民族」という言葉を引き出すことがいちばんの目的である。しかも彼も承知のうえで中国共産党の工作に乗ったのだ。

とすれば、やはり中国共産党の台湾侵攻に助力した、**とんでもない裏切り行為**である。ただし、そのようなことは馬英九だけの問題でもないだろう。

台湾人には「本省人」のほかに蔣介石と一緒に1949年に台湾に渡って来た国民党を中心とする「外省人」がいる。

外省人のなかには、今でも中華民族あるいは中華思想にとらわれて中国共産党による祖国統一に共鳴している人たちがいる。そういう人々は思想的には、中国共産党による台湾併合にも馬英九の先の発言にも無抵抗の状態にある。これは台湾が抱えている弱みのひとつだ。

さらに、今の台湾は国名として中華民国と称している。台湾に渡って来た国民党の前身である中華革命党を組織した孫文が中華民国の創始者でもあるため、台湾は独立国家なのに中華民国の国名をそのまま維持している。だから台湾では、孫文を建国の父として崇めているのだ。

台湾の現在の総統である蔡英文にしても、総統への就任式のときに孫文の肖像画に向かって宣誓したのだった。これが台湾の抱えるもうひとつのアキレス腱である。

もし中国共産党が武力をもって台湾併合や台湾制圧に動き出したとき、彼らは孫文という**「錦の御旗」**を掲げるかもしれない。

適切なたとえかどうかはさておき、日本の幕末に江戸幕府と薩長との間で鳥羽伏見の戦いが起こったとき、薩長が持ち出したのが天皇の錦の御旗だった。そのため、軍事力では勝っていた幕府軍はそれに恐れ慄《おのの》き、引いてしまったのである。以後の戦いでも薩長軍が幕府軍を押しまくるようになった。

台湾併合では、中国共産党も同様に孫文という錦の御旗を出す可能性があるということだ。台湾の建国の父である孫文が打ち出した中華民族という概念だから、中国共産党が孫文という錦の御旗を掲げて**「孫文の意思に従って祖国を統一する」**と宣言することになった場合、台湾人たちははたして一致団結して中国共産党の侵略に立ち向かうことができるだろうか。その点に心配がある。

したがって、「孫文の亡霊と決別すること」と「中華民族というウソと決別すること」が台湾にとってのひとつの大きな課題だと思う。その意味で、「両岸の人々はみんな中華民族」と言った馬英九だけの問題ではなく、台湾にとっても大きな課題になっているのではないか。今回の馬英九の中国訪問で私が強く感じたことである。

【著者略歴】

**石平**（せき・へい）

1962年中国四川省成都市生まれ。1980年北京大学哲学部入学。1983年頃毛沢東暴政の再来を防ぐためと、中国民主化運動に情熱を傾ける。同大学卒業後、四川大学哲学部講師を経て、1988年留学のために来日。1989年天安門事件をきっかけに中国と「精神的決別」。1995年神戸大学大学院文化学研究科博士課程修了。民間研究機関に勤務。2002年『なぜ中国人は日本人を憎むのか』を刊行して中国における反日感情の高まりについて先見的な警告を発して以来、日中問題・中国問題を中心に評論活動に入り、執筆、講演・テレビ出演などの言論活動を展開。2007年末日本国籍に帰化。14年『なぜ中国から離れると日本はうまくいくのか』（PHP）で第23回山本七平賞を受賞。著書に『習近平・独裁者の決断』『そして中国は戦争と動乱の時代に突入する』『経済原理を無視する中国の大誤算』『バブル崩壊前夜を迎えた中国の奈落』『私たちは中国が一番幸せな国だと思っていた』（ビジネス社）、『「天安門」三十年　中国はどうなる?』（扶桑社）、『なぜ論語は「善」なのに、儒教は「悪」なのか』（PHP）など多数ある。

編集協力／尾崎清朗

## 習近平帝国のおわりのはじまり

2023年6月14日　第1刷発行

著　者　石　平
発行者　唐津　隆
発行所　株式会社ビジネス社
〒162-0805　東京都新宿区矢来町114番地
神楽坂高橋ビル5F
電話　03-5227-1602　FAX　03-5227-1603
URL　https://www.business-sha.co.jp

〈装幀〉大谷昌稔
〈本文組版〉茂呂田剛（エムアンドケイ）
〈印刷・製本〉半七写真印刷工業株式会社
〈編集担当〉本田朋子　〈営業担当〉山口健志


ISBN978-4-8284-2526-9

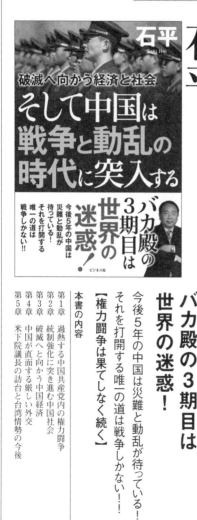